La cerise sur le gâteau

Jean-Philippe Arrou-Vignod

La cerise sur le gâteau

Histoires des Jean-Quelque-Chose

Illustré par Dominique Corbasson

GALLIMARD JEUNESSE

Pour le groupe pop des Grandes Ratiches.
Pour Patricia, ma cerise sur le gâteau.

Aïe aïe aïe !

On était tous assis en rond sur le tapis du salon quand papa a dit :

– Alors, mes Jean, comment s'est passée cette rentrée ?

Il faisait de petits nuages avec sa pipe, et son tabac répandait dans l'air une délicieuse odeur de cerise.

– Comment s'est passée cette quoi ? a fait Jean-C. qui ne comprend jamais rien.

J'ai ricané.

– Cette rentrée, sourdingue.

– Sourdingue toi-même ! Tu veux une tarte ?

– Une tarte de CM2 ? Essaye un peu pour voir.

Jean-D. a levé le doigt comme s'il était encore en classe.

– Moi, j'ai déjà eu un bon point ! il a claironné avec fierté. Quand j'en aurai dix, j'aurai une image, et quand j'aurai dix images...

– ... Les poules auront des dents, a complété Jean-C. Il s'est penché juste à temps pour éviter un noyau d'olive lancé par Jean-F.

Jean-F. est un vrai tireur d'élite. Comme il est trop petit pour aller à l'école, il n'avait rien à raconter, alors il ne trouvait rien de plus malin que de nous canarder en douce avec des noyaux suçotés en répétant : « En plein dans le mille, mes gaillards ! » comme Josh Randall à la télévision quand il dégomme des bandits.

Le noyau d'olive a rebondi sur un verre avec un petit chtong, poursuivi par Batman, le chinchilla de Jean-C., qui a manqué de s'assommer sur la table basse.

– Est-ce qu'il serait possible de prendre tranquillement l'apéritif en famille sans que ce monstre... a commencé papa.

– Batman n'est pas un monstre ! s'est indigné Jean-C. C'est un spécimen très rare de chinchilla. Et puis il fait partie de la famille, lui aussi, même s'il ne s'appelle pas Jean-Batman.

– J'ai peur qu'il ne finisse en spécimen de pâté si

tu ne le remets pas immédiatement dans sa cage, a précisé papa. Me suis-je bien fait comprendre ?

Depuis que Batman a dépiauté les pantoufles toutes neuves que maman a offertes à papa pour son anniversaire, papa et Batman ne sont plus très copains.

Jean-C. a blêmi avant de repêcher son chinchilla sous le canapé.

– En pâté, Batman ?

– Ton père plaisante, bien sûr, a fait maman, avant d'ajouter, histoire de détendre l'atmosphère : Qui veut des gougères ? Elles sortent juste du four.

– Moi d'abord, moi d'abord ! on a tous crié.

Mais l'image d'une terrine de charcutier d'où dépassaient les petites oreilles pointues de Batman nous avait un peu coupé l'appétit.

C'était dommage parce que maman, pour fêter la rentrée des classes, avait préparé un apéritif dînatoire. D'habitude, on adore ça. C'est comme un apéritif pique-nique, tellement copieux qu'il sert aussi de dîner. Il y a des bols de cacahuètes, du céleri au fromage blanc, de petits toasts tartinés à la Vache-Qui-Rit, des portions croustillantes de pissaladière... Bref, que des choses dont on raffole – à part le céleri, bien sûr, qui donne l'impression de mâchonner un paquet de fil dentaire.

Maman dispose les plats sur la table roulante, on s'assied en rond autour et on a l'autorisation exceptionnelle de se gaver à volonté de chips graisseuses et de sodas chimiques.

– Et maintenant, qui me raconte sa rentrée ? a demandé papa en se resservant un doigt de whisky.

– Moi d'abord, moi d'abord ! on a tous crié en chœur.

Ça a été un vrai brouhaha.

– Moi, ma maîtresse, elle s'appelle Solanze Rouzoreilles ! a zozoté Jean-E.

– Rougeoreilles ? a rigolé Jean-D.

– Pas Rouzoreilles : Rouzoreilles avec un z, a rezozoté Jean-E.

Jean-E. a un cheveu sur la langue. Mais là, en plus,

il s'était tellement bourré les joues de cacahuètes qu'on aurait dit qu'il avait une poignée de billes dans la bouche.

– Grandezoreilles ? a fait Jean-C. qui ne comprend jamais rien. C'est un lapin, ta maîtresse ?

– Pas Grandezoreilles : Rouzoreilles ! s'est énervé Jean-E. en zozotant de plus belle. Même qu'elle est très zolie et très zentille.

– Chacun à votre tour, les enfants, est intervenue maman avant que ça dégénère.

– Oui, apprenez à vous écouter, a renchéri papa. Qui commence ?

– Moi d'abord, moi d'abord ! on a tous crié en chœur.

Jean-D. et Jean-E. ont commencé à se distribuer des tartes pour parler en premier, alors papa a un peu perdu son flegme légendaire.

– Très bien, il a dit en se pinçant l'arête du nez entre deux doigts. Silence tout le monde ou je vous inscris séance tenante aux enfants de troupe pour la rentrée prochaine.

Les enfants de troupe, c'est une sorte d'école archi-sévère pour les fils de militaires. On y apprend à marcher au pas, à se réveiller au clairon dans un dortoir sans chauffage et à manger des rations de bœuf en conserve pour le petit déjeuner.

Quelquefois, je me dis que ce serait plus facile d'être pensionnaire aux enfants de troupe que de vivre dans une famille de six garçons.

Personne pour vous couper la parole ou vous dénoncer si vous ne vous lavez pas les dents le matin... Pas de petits pour se poursuivre pieds nus sur le plateau de jeu chaque fois que vous commencez un 1 000 Bornes ou un Monopoly entre grands... Pas de moyens pour vous piquer votre talkie-walkie ou faire du coloriage sur votre collection de Club des Cinq...

Les grands de la famille, c'est nous. Il y a Jean-A., l'aîné, surnommé Jean-Ai-Marre parce qu'il râle tout le temps, un peu comme Joe Dalton dans les bandes dessinées de Lucky Luke. Moi, c'est Jean-B., alias Jean-Bon à cause de mes joues rebondies. Enfin, c'est ce que disent les autres. Parfois, j'ai l'impression que c'est plutôt parce que je suis le deuxième, pris en sandwich entre Jean-A. et les moyens comme une tranche de charcuterie.

Il faut dire qu'on n'est pas gâtés avec les moyens. Il y a Jean-C., dit Jean-C-Rien parce qu'il est toujours dans la lune, et puis Jean-D., alias Jean-Dégâts, le brise-tout de la famille. À eux deux, ils font vraiment la paire. Impossible de lire tranquillement sans être attaqués à coups de sarbacane ou de pistolet à fléchettes... Leur chambre est juste à côté de la nôtre, dans notre villa de Toulon, et même maman, qui est très organisée, hésite à y entrer : elle est tellement en désordre que Jean-C. et Jean-D. se perdront peut-être un jour dans leur propre bazar. Un explorateur chevronné les retrouvera dix mille ans plus tard, mais ça n'aura plus d'importance, j'aurai déjà quitté la maison depuis longtemps.

De l'autre côté du couloir, il y a les petits : Jean-E., alias Zean-Euh, qui a un cheveu sur la langue, et Jean-F., le petit dernier, surnommé Jean-Fracas. Quand il était bébé il pleurait toute la journée. Maintenant, c'est pire : il sait à peine parler mais il connaît par cœur les génériques de toutes nos émissions préférées. Les matins où on pourrait dormir, ça ne rate pas. Il déboule en pyjama dans notre chambre, coiffé d'un chapeau de Zorro trop grand, en hurlant à tue-tête : « Un cavalier qui surgit hors de la-a nuit / Court vers l'a-venture au galop… »

Je préférerais mille fois être réveillé par le clairon de l'École des enfants de troupe.

La menace de papa nous a quand même refroidis. Ce n'est pas tous les jours qu'on fait un apéritif dînatoire et qu'on a le droit de se ballonner l'estomac à volonté.

– Si nous écoutions d'abord les grands ? a proposé maman.

Papa a poussé un soupir résigné. Il n'avait plus l'air si content que ça d'être rentré plus tôt du travail. Il s'est tourné vers Jean-A. qui, bizarrement, n'avait pas desserré les dents depuis le début de l'apéritif.

– Alors, mon Jean-A., ta rentrée en... enfin.. dans la classe supérieure... je veux dire, eh bien... dans ta nouvelle... euh...

Papa est très fort comme médecin mais il n'a pas beaucoup de mémoire. C'est peut-être la raison pour laquelle il nous a tous prénommés Jean-Quelque-Chose : pour être sûr de ne jamais se tromper quand il nous appellerait pour mettre la table ou l'aider à arroser le jardin.

– Jean-A. vient d'entrer en 3e, chéri, a observé maman avec un air de reproche.

Papa a eu un petit rire.

– En 3e ? Naturellement. C'est ce que j'allais dire, chérie.

Jean-A. a ouvert et refermé la bouche en produisant une sorte de gargouillis. On aurait dit Wellington ou Zakouski, nos poissons rouges, quand on les sort de l'eau avec une épuisette pour nettoyer leur aquarium.

D'habitude, il faut se lever de bonne heure pour en placer une avec Jean-A. Comme c'est l'aîné et qu'il fait du latin, il croit tout savoir et nous traite à tout bout de champ de Jean-Minus ou de frères bonsaïs.

Mais ce soir-là, pas un mot. Même quand Jean-C. lui avait fait sa blague favorite : se mettre une gougère dans la bouche, la ressortir toute baveuse et la replacer discrètement dans le plat pour que quelqu'un la prenne sans s'en apercevoir.

Jean-A. s'était fait avoir comme un bleu et l'avait gobée d'un coup, sans même remarquer les ricanements de triomphe de Jean-C.

Qu'est-ce qui lui arrivait ?

Durant l'été, il avait fait ce que papa et maman appellent une « poussée de croissance » : ses jambes de pantalons et ses manches avaient rétréci brusquement, et une petite ombre en forme de moustache de Zorro était apparue sur sa lèvre supérieure. Sa voix aussi était bizarre. Elle déraillait sans prévenir, sautant du grave à l'aigu comme si Titi et Gros Minet faisaient de la balançoire sur ses cordes vocales.

– Eh bien, mon Jean-A. ? a repris papa. Tu es devenu muet, tout à coup ?

Jean-A. a laissé échapper un nouveau gargouillis.

– *Iadéfidansmacla*...

– Pardon ?

– *Iadéfidansmacla*, a répété Jean-A.

– Tu es dans une 3e pour ventriloques ? a demandé

papa. On vous apprend à parler sans bouger les lèvres ?

– Il a les molaires collées par un caramel mou, a suggéré Jean-D.

– C'est la gouzère baveuse de Zean-C., a zozoté Jean-E. Il arrive pas à la dizérer.

Je savais bien que ce n'était pas ça.

Jean-A. était rentré sans un mot de sa première journée de classe, les joues écarlates et les cheveux en bataille. À peine dans la chambre, il avait enlevé ses pinces à vélo, grimpé sur le lit du haut et s'était tourné vers le mur, son transistor coincé contre l'oreille.

– T'es malade ? j'avais demandé.

– …

– T'as des profs sadiques ?

– …

– T'as pas de copains ?

– …

– Bon, j'avais dit, si tu allais te faire cuire un œuf, alors ?

Moi, j'adore les rentrées scolaires : les cahiers Clairefontaine qui craquent, le cartable en cuir tout neuf qui sent l'étui de revolver, l'odeur du plastique transparent pour recouvrir les livres de classe… En même temps, c'est frustrant, parce qu'on n'a pas encore de devoirs pour étrenner ces fournitures ; alors je fais et défais mon cartable en essayant toutes les poches comme si je voulais m'entraîner avec du matériel de compétition.

Mais cette rentrée-là n'était pas une rentrée comme les autres. C'était la première qu'on faisait séparément, Jean-A. et moi.

À Cherbourg, puis à Toulon, on a toujours été dans la même école. Mais cette année, pour pouvoir continuer à faire du latin en 3e, Jean-A. avait dû changer d'établissement.

Moi, ça m'avait plu d'abord, l'idée qu'on ne soit pas ensemble. Pour une fois, j'allais pouvoir être fils unique quelque part. Mais à la première récréation, je m'étais surpris à le chercher dans la cour, étonné de ne pas le voir. Brusquement, je m'étais senti vulnérable, un peu perdu, comme si sa seule présence avait suffi à me protéger jusqu'alors.

Il n'était pas bien loin, pourtant, juste de l'autre côté du boulevard. Je pouvais même apercevoir les fenêtres de son nouveau bahut depuis celles du mien. Mais ce n'était pas pareil. J'avais l'impression qu'il était passé dans un autre monde, un peu inquiétant, et que plus jamais on ne ferait le chemin ensemble, le soir, sprintant comme des malades jusqu'à la maison sur nos vélos demi-course pour être le premier à choisir nos BN.

Maman est très organisée. Chaque année, à la rentrée, elle affiche nos emplois du temps sur la porte du réfrigérateur. Comme ça, elle sait à quelle heure chacun rentre le soir, qui a sport le lendemain ou qui risque douze heures de colle s'il oublie encore une fois sa flûte pour le cours de musique.

– Alors, mon Jean-A., elle a dit en l'encourageant d'un sourire. Ces premières impressions de 3e ?

Jean-A. a dégluti comme s'il avait eu encore la gougère baveuse de Jean-C. coincée dans la gorge.

– Y a des filles dans ma classe, il a articulé enfin.

– Des quoi ? a demandé Jean-C.

– Des filles, banane, j'ai dit.

Jean-D. a ouvert des yeux ronds.

– Tu veux dire : des vraies filles, avec des couettes, des jupes et tout ?

Jean-A. a hoché la tête avec accablement.

– Mince alors, a fait Jean-C. en sifflant entre ses dents.

– T'es dans un lycée mixte ? j'ai dit sans y croire vraiment.

Mais la tête que faisait Jean-A. ne trompait pas.

– Mince alors, a répété Jean-C. Mon pauvre vieux...

Il lui a tapoté l'épaule avec pitié, comme s'il regrettait brusquement que la blague de la gougère baveuse soit tombée sur Jean-A. Ce n'était vraiment pas de veine : déjà que Jean-A. a des lunettes et qu'il a fait une poussée de croissance, il fallait en plus qu'il se retrouve dans un lycée mixte.

Même Batman, en entendant le mot « fille », s'était aplati dans sa cage, les oreilles rabattues sur la tête.

– Ça veut dire quoi, un lycée mixte ? a demandé Jean-D.

– Eh bien, a commencé papa en tirant sur sa pipe avec un air savant, apprenez, les enfants, que les êtres humains se divisent en deux catégories : d'un côté les garçons, de l'autre des créatures qu'on appelle les filles. Jusqu'alors, vous avez vécu éloignés de cette redoutable engeance, mais...

– Chéri, l'a interrompu maman, je me permets de te rappeler que je fais partie de cette engeance, comme tu dis.

– Quoi ? a fait Jean-D. Maman est une fille ? Première nouvelle.

– C'est quoi d'autre, alors ? a ricané Jean-C.

Jean-E. a pris la défense de Jean-D.

– Ze t'apprendrai qu'elle a des zupes mais pas de couettes.

– Toutes les filles n'ont pas de couettes, espèce de banane.

– Ze le sais, banane toi-même. Même que Solanze Rouzoreilles, elle coiffe ses ceveux en cignon, a riposté Jean-E.

– Oui mais c'est pas une fille : c'est ta maîtresse.

– Maman non plus, c'est pas une fille, ze t'apprendrai : c'est maman.

– Silence tout le monde, a dit papa qui avait l'air de regretter de s'être lancé dans cette leçon de vocabulaire. Je vous rappelle que l'École des enfants de troupe n'est pas mixte et que...

– Ce que votre père veut dire, l'a coupé maman, c'est qu'une école mixte est une école qui mélange les filles et les garçons.

– Avec un mixter ? a demandé Jean-D.

– Quelle banane ! a fait Jean-C. en levant les yeux au ciel.

– Moi, a zozoté Jean-E., z'ai pas envie qu'on me mélanze quand ze serai grand.

– Cela t'arrivera bien assez tôt, l'a rassuré papa. Et puis, avoir quelques camarades du sexe opposé ne me paraît pas si catastrophique que ça. Cela permet de... enfin... disons...

Il s'est tourné vers maman.

– Cela permet de quoi, au fait, chérie ?

– Eh bien, de... a commencé maman. De favoriser la... De vous apprendre à... À quoi au fait, chéri ?

Visiblement, ils n'avaient jamais réfléchi à la question.

– Le problème, a dit Jean-A. d'une toute petite voix, c'est qu'on n'est pas mélangés...

On s'est tous tournés vers lui.

– Je suis le seul garçon en latin, il a bredouillé.

– Tu veux dire qu'il n'y a que des Romaines avec toi ? a fait Jean-C. qui ne comprend jamais rien.

– Pas des Romaines : des filles.

– Mince alors, on a tous dit en chœur.

– Aïe aïe aïe ! a dit papa.

– Qu'est-ce qu'il y a, chéri ? a demandé maman.

Papa a mordillé sa pipe en poussant un soupir.

Il s'est resservi un doigt de whisky avant d'ajouter sombrement :

– J'ai bien peur que notre Jean-A. ne soit entré dans l'adolescence, chérie.

Les filles

– Bravo, j'ai dit. Tu as salement gâché la fête.

On était allongés dans le noir, Jean-A. et moi, sur nos lits superposés, et je l'entendais qui se tournait et se retournait en soupirant au-dessus de ma tête. Je m'étais tellement ballonné l'estomac avec les boissons gazeuses de l'apéritif que je n'arrivais pas à trouver le sommeil, moi non plus.

– Pour une fois que papa était rentré exprès…

– Parce que tu crois que c'est ma faute s'il n'y a que des filles en latin ? a explosé Jean-A.

D'habitude, les soirs de championnat, il cache son petit transistor sous son oreiller, pour que papa et maman ne l'entendent pas, et on s'endort en écoutant les matches à la radio. Mais ce soir-là, il en avait trop gros sur la patate pour s'intéresser aux résultats de football.

– Ça t'apprendra à vouloir faire des langues mortes.

– Pauvre minus ! a dit Jean-A.

– Minus toi-même, j'ai riposté.

– Comme si tu savais ce que ça veut dire… C'est du latin, banane.

C'était du Jean-A. tout craché. Même quand il est en colère, il vous insulte en langue morte juste pour faire son intéressant.

– Tu veux que je monte t'apprendre le français ? j'ai dit.

– Essaye un peu pour voir.

Au même instant, des coups ont ébranlé la cloison. C'était Jean-C. et Jean-D. qui se bagarraient dans leur chambre, comme tous les soirs. En général, ça commence par une bataille de polochons, mais très vite ça dégénère, chacun cherchant à mettre ses pieds sales sur la figure de l'autre.

– Quelles bananes, ces moyens, a soupiré Jean-A.

– Tu l'as dit.

– Si je m'en mêle, ce sera un carnage.

– T'as raison, j'ai dit. Faut pas qu'ils nous cherchent ou ça va saigner.

On est restés un moment dans le noir à les écouter se bagarrer jusqu'à ce que le silence retombe. Aucun de nous deux n'avait envie de bouger. Cela faisait une éternité qu'on n'avait plus fait de bataille de pieds, Jean-A. et moi. Qu'est-ce qui nous arrivait ? Est-ce qu'on avait grandi sans s'en apercevoir ?

– Le pire, a repris Jean-A. après un moment, c'est qu'elles veulent toutes s'asseoir à côté de moi.

– Les filles de ta classe ? Tu rigoles !

– J'aimerais bien, il a soupiré. Une heure à côté d'une fille nulle en déclinaisons ! Je souhaiterais pas ça à mon pire ennemi.

– Je te plains, j'ai dit. Et elle est comment ?

– Qui ça ?

– Ben, ta voisine en latin.

– Parce que tu crois que je l'ai regardée ? a ricané Jean-A. Je suis en 3e, figure-toi : j'ai autre chose à faire que de m'occuper d'une fille qui a les cheveux bouclés et des petites fossettes sur les joues !

J'ai fermé les yeux pour essayer de m'imaginer à quoi elle pouvait ressembler, mais je n'ai réussi à voir que Jean-A., raide comme un piquet à sa table, les oreilles écarlates comme celles de Batman.

– Elle est plus jolie que Pauline Grandrégis ?

Jean-A. s'est à moitié étranglé.

– Que qui ?

– Tu sais bien : Pauline Grandrégis, ton ancienne amoureuse.

L'année d'avant, Jean-A. était allé à sa première boum mixte et il était tombé méchamment amoureux de la sœur de son meilleur copain, Pauline Grandrégis. Il aurait préféré se faire enlever une dent de sagesse plutôt que de l'avouer, mais on avait tous vu le cœur avec leurs initiales qu'il avait gravé sur un arbre de la colline.

Ça avait mal fini : un jour, lors d'une bagarre avec les Castors, il avait tiré dans les mollets de Pauline Grandrégis avec une carabine à patate. Il ne savait pas que c'était elle, bien sûr, mais Pauline s'était vexée à mort. Depuis, elle ne lui adressait plus la parole quand ils se croisaient chez le marchand de journaux pour acheter leur *Journal de Spirou.*

Pauvre Jean-A. Déjà que c'est nul d'être amoureux, si en plus c'est d'une fille qui fait tout un plat parce qu'on lui tire dans les mollets, il avait de quoi être furax.

– Moi ? a grincé Jean-A. Amoureux ? Je préférerais tomber dans un bocal de piranhas !

– T'as raison, j'ai dit. Qu'est-ce qu'on en a à faire, des filles ?

– Tu sais quoi ? a renchéri Jean-A. avec un petit rire sardonique. Si elles croient qu'elles vont pouvoir copier sur moi aux contrôles juste parce qu'elles ont des fossettes…

– Ah bon ? Elles ont toutes des fossettes ?

– Mais non, banane. Je te parle d'Isabelle, la fille qui est à côté de moi en latin.

– Ah ! la moche…

La tête de Jean-A. a surgi au-dessus de moi, à l'envers comme celle d'une chauve-souris.

– Comment ça, la moche ? Tu veux que je descende te mettre une tarte ?

– Parce qu'elle est pas moche ? Comment tu peux le savoir si tu ne l'as même pas regardée ?

Il a réfléchi un instant.

– Elle n'est pas laide, scientifiquement parlant. Mais ça ne veut pas dire que *je la trouve jolie*, nuance ! Même un microscopique 5e comme toi peut comprendre, non ?

Il s'est rejeté sur son oreiller avec un petit gloussement satisfait.

– Si tu crois que ça m'intéresse, j'ai dit. C'est pas moi qui suis tombé dans l'adolescence et qui ai la voix qui déraille comme un vieux tourne-disque pourri.

– Tu veux mes pieds sales dans la figure ?

– Essaye un peu pour voir.

On n'a bougé ni l'un ni l'autre. Il était tard, presque minuit. Dans l'obscurité, les chiffres phosphorescents sur le cadran de ma montre faisaient comme une petite galaxie parfaite.

J'avais bien l'intention de ne jamais y tomber, moi, dans l'adolescence. Pour avoir des pantalons trop courts, des problèmes avec les filles et un accent circonflexe de duvet au-dessus de la lèvre, comme Jean-A. ? Merci bien ! J'allais passer directement à l'âge adulte, comme quand on joue au Monopoly et qu'on saute par-dessus la case prison.

Jean-A. avait allumé son poste de radio et se l'était collé contre l'oreille exprès pour ne pas que j'entende. Je m'en fichais parce que ce n'était pas la soirée de championnat qu'il écoutait.

– Baisse un peu tes chansons débiles, j'ai fait. Ça m'empêche de dormir.

– Débile toi-même, il a ricané. Je parie que tu connais même pas un seul tube à la mode.

– Un seul quoi ?

– Ha ha ha ! il a triomphé. Tu sais même pas ce que c'est. Un tube, mon petit vieux, c'est un super succès : un hit, dans notre langage à nous, les jeunes. Écoute ça…

Il a augmenté le son de sa radio et s'est mis à claquer des doigts dans le noir en faisant « Yé yé yé ! » et en se tortillant sur son matelas comme s'il avait eu la colique.

– T'es complètement malade, j'ai dit en m'enfonçant la tête sous l'oreiller.

Si papa s'apercevait qu'on ne dormait pas, Jean-A. allait se faire confisquer sa radio. Il a baissé le volume avant de se pencher vers moi.

– Tu sais quoi, Jean-B. ? Dès que j'ai assez d'argent de poche, je m'achète une guitare électrique.

– C'est bien ce que je disais. T'es zinzin. D'abord, papa et maman ne voudront jamais. Et puis tu chantes comme une casserole.

– Justement. Avec une guitare électrique, pas besoin de savoir chanter : tu mets ton ampli à fond et ça suffit.

– Tu veux plus être pilote de chasse, alors ?

– Non, il a fait. Tu me vois aux commandes d'un jet supersonique ? Au premier looping un peu serré, ça raterait pas : je vomirais mes céréales dans tout le cockpit.

– Beurk ! j'ai grimacé. Tu veux faire quoi alors, comme métier ?

Jean-A. n'a pas hésité longtemps.

– Idole des jeunes.

C'était à mon tour de m'esclaffer.

– Idole des jeunes, avec tes binocles ? Laisse-moi rire. Il vaut encore mieux que tu vomisses tes céréales. En plus, c'est nul, comme métier.

– Nul ? Tu rigoles ? T'as ta photo sur des posters géants, comme les footballeurs, sauf que t'as pas besoin pour ça de courir derrière un ballon comme un dératé. En plus, personne ne te dit plus quand tu peux regarder la télé *parce que c'est toi qui y passes, à la télé* ! Tu y avais pensé, à ça ?

L'idée de voir Jean-A. se trémousser sur l'écran à la place de *Des agents très spéciaux* et de mes autres séries préférées n'avait rien de bien tentant, à vrai dire.

– T'es obligé de savoir jouer de la guitare, pour faire idole des jeunes ? j'ai demandé.

– Mais non, banane ! Des types jouent à ta place et toi tu fais semblant, comme avec la flûte en cours de musique. Sauf que là, ça s'appelle du play-back.

J'ai ouvert des yeux ronds dans le noir.

– T'as ni besoin de chanter ni de jouer de la guitare ? Qu'est-ce que tu fais, alors ?

– Rien, a dit Jean-A. Juste porter des vestes argentées. Mais même ça, t'es pas forcé.

J'ai sifflé entre mes dents. Ça commençait à m'intéresser, son histoire d'idole des jeunes. Je ne savais pas que ça existait comme métier, et c'était vraiment dommage que Jean-A. y ait pensé avant moi. Est-ce qu'il peut y avoir deux idoles des jeunes dans la même famille ?

– Y a juste un truc qui m'embête, a poursuivi Jean-A. après un silence.

– C'est quoi ?

Il a poussé un gros soupir.

– Les filles.

– Quoi, les filles ?

– Eh ben, quand t'es idole des jeunes, elles arrêtent pas de te poursuivre partout en hurlant et en tombant dans les pommes.

– Mince, alors, j'ai dit. Encore les filles !

– Oui, a murmuré Jean-A. Encore elles...

Il a soupiré à nouveau avant d'ajouter d'un ton lugubre :

– Si tu veux mon avis, mon petit vieux, on n'est pas sortis d'affaire avec ça.

– Parle pour toi, j'ai dit. C'est pas moi qui suis dans un lycée mixte.

Je me suis remonté la couverture jusqu'au menton avec soulagement. J'avais bien fait de choisir agent secret comme métier plutôt qu'idole des jeunes. Au moins, je ne serais pas embêté par les filles. Les sous-marins miniaturisés n'ont qu'une seule place, pareil pour les scaphandres de combat. En plus, les filles ne savent pas faire du jiu-jitsu ou pousser le cri qui tue. D'accord, on tombe quelquefois sur des espionnes qui veulent vous faire parler pour obtenir la formule d'une invention secrète. Mais il suffit de déclencher la mise à feu de votre montre gadget et *boum !* terminé : elles disparaissent en fumée, et vous n'avez plus qu'à remonter dans votre bolide surpuissant et à repartir tranquillement vers de nouvelles aventures.

– Merci de ton aide, a grommelé Jean-A. La prochaine fois que je voudrai discuter de choses sérieuses avec toi, rappelle-moi de ne pas oublier que tu n'es qu'un minus.

– Minus toi-même, j'ai dit. Maintenant, la ferme. J'ai classe demain, je dors.

– C'est toi qui m'empêches de dormir avec tes salades, il a fait.

– Salade toi-même, j'ai dit.

Il a ricané.

– T'as de la chance que je dorme déjà, sinon je serais descendu te mettre une sacrée rouste.

– Tu peux toujours rêver, j'ai dit.

J'ai pris ma lampe torche, le dernier volume de Langelot agent secret que j'avais emprunté à la bibliothèque, et je me suis mis à bouquiner en cachette sous la couverture jusqu'à ce que le sommeil m'emporte.

John-A.

Il faut dire qu'au mois d'août, juste après nos vacances à l'Hôtel des Roches Rouges, Jean-A. était allé en Angleterre.

C'est papa qui avait eu cette idée de génie.

– Après trois semaines dans une famille indigène, mon Jean-A., tu reviendras parfaitement bilingue, il avait expliqué.

– Ça veut dire quoi, bilingue ? avait demandé Jean-C.

– C'est quand on parle deux langues, banane, avait

maugréé Jean-A., aussi enthousiaste que si on le condamnait à un mois en colo dans une tribu de réducteurs de têtes.

– Deux langues en même temps ? Déjà que Jean-E. zozote alors qu'il n'en a qu'une ! s'était exclamé Jean-D.

– Ze zozote pas, avait protesté Jean-E. Ze suis zuste zêné quand z'articule.

– Est-ce qu'on peut aussi zozoter en anglais ? avait demandé Jean-C.

Jean-F. ne connaît pas l'anglais. Mais il s'était mis à brailler : « *I'm a poor lonesome cow-boy / I'm a long long way from home !* » en menaçant tout le monde avec le colt en plastique de sa panoplie de Lucky Luke.

Comme ça commençait à dégénérer :

– *Quiet, everybody !* avait crié papa. *Quiet, immediatly !*

Puis, se tournant vers maman :

– Comment dit-on « enfants de troupe » dans la langue de Shakespeare, chérie ?

– Aucune idée, chéri. Tu veux que je regarde dans le dictionnaire ?

– Inutile, merci. Je crois que le message a dû passer.

Papa adore l'Angleterre, le rugby et les vestes en tweed avec des pièces aux coudes. On aurait dit que c'était lui, et non Jean-A., qui allait partir.

John-A.

– Un pays où on peut lire le journal dans son club, le soir, entre gentlemen, en sirotant un doigt de whisky sans être dérangé ! avait-il soupiré avec envie. Tu te rends compte, chérie ?

– Assez bien, oui, avait dit maman.

Ce qui les avait décidés, c'était les cours du matin : trois heures d'anglais intensif, l'occasion rêvée pour Jean-A. de consolider ses bases grammaticales.

– Alors, qu'en dis-tu, mon garçon ? Est-ce que ce n'est pas une merveilleuse perspective pour finir les vacances ?

– Manquerait plus qu'ils aient pas la télé dans ma famille indigène ! avait marmonné Jean-A.

À voir la tête qu'il faisait le jour du départ, passer la fin du mois d'août en cours de langue intensifs ne lui semblait pas une idée si merveilleuse que ça. Il portait pour le voyage un bermuda en flanelle et un blazer bleu marine, achetés par correspondance à La Famille Moderne et que maman trouvait très chics. Mais quand le train s'était mis en marche, le visage de Jean-A. derrière la vitre du compartiment ressemblait à celui d'un scaphandrier qu'on descend de force dans une eau à moins dix-huit degrés.

– Bon débarras ! j'avais crié en agitant la main.

– Pardon ? avait dit papa.

– Euh… bon voyage ! j'avais fait semblant de répéter, mais ça n'avait plus d'importance car le train était déjà trop loin pour que Jean-A. puisse entendre.

J'étais assez excité, en fait, de récupérer notre chambre pour moi tout seul. J'allais pouvoir lui piquer son transistor, finir avant lui ma collec' de vignettes Panini et me battre toute la journée avec les Castors dans la colline sans l'avoir sur le dos.

De vraies vacances, quoi.

– Je te préviens, avait annoncé Jean-A., si tu profites de mon absence pour mettre tes cheveux gras sur mon oreiller, t'es mort.

– Dormir dans tes draps pourris ? Plutôt attraper la gale, j'avais ricané, bien décidé à prendre le lit du haut dès qu'il serait parti.

Manque de chance, en dévalant la rue le lendemain pour ne pas rater le début de *La Piste aux étoiles* à la télévision, j'avais fait un vol plané pardessus le guidon de mon vélo demi-course.

Poignet cassé, avait diagnostiqué papa qui est très fort comme médecin. J'en avais pour trois semaines d'immobilisation.

Allez grimper sur un lit superposé ou tirer au lance-pierres avec un plâtre jusqu'en haut du coude… La fin des vacances était fichue.

Quand Jean-A. est rentré d'Angleterre, on venait juste de m'enlever le plâtre et mon bras droit, comparé au gauche, était à peu près aussi musclé qu'une aiguille à tricoter.

J'ai failli ne pas reconnaître Jean-A.

Les cheveux lui tombaient sur les oreilles et, à la place du bermuda de La Famille Moderne, il portait un pantalon orange sur lequel étaient cousues de grandes fleurs en tissu multicolores.

– *Call me John-A., brother*, il a dit en formant un V avec ses doigts.

C'était au tour de papa et maman de faire une drôle de tête. Il leur avait rapporté en cadeaux deux jolies tasses à thé avec le portrait de la reine d'Angleterre, mais ils avaient l'air de douter qu'il ait pu consolider ses bases grammaticales dans un pantalon pareil.

– Qu'est-ce que tu penses de mon pattes d'eph' ? il a dit quand on s'est retrouvés seuls.

J'étais en train de répéter devant la glace les prises paralysantes de mon manuel de self-défense et j'ai ouvert des yeux ronds.

– Ton quoi ?

– Mon *trouser*, il a expliqué en me poussant pour se camper devant le miroir. T'as vu la forme ? Étroit en haut et super large en bas. C'est pour ça qu'on l'appelle un « pattes d'eph' ».

– En british ?

– Mais non, *banana* ! Entre jeunes ! « Pattes d'eph' » comme « pattes d'éléphant », quoi, à cause de la coupe… T'es vraiment bouché quand tu t'y mets !

J'ai essayé une moue énigmatique.

– Pas mal, j'ai convenu. Tu l'as acheté chez un fleuriste ?

Il a levé les yeux au ciel.

– Ils auraient dû te plâtrer le cerveau tant qu'on y était, il a marmonné en vidant son sac sur son bureau.

Pas facile de faire du karaté avec l'allumette qui me servait de bras droit. J'ai refermé mon manuel de self-défense, je l'ai planqué tout au fond d'un tiroir pour que Jean-A. ne découvre pas mes prises secrètes, et j'ai demandé :

– À part ton pantalon de Dumbo, c'était bien, l'Angleterre, John-A. ?

John-A.

Il s'est fourré un chewing-gum dans la bouche.

– Hyper top ! il a dit avant de faire claquer une énorme bulle. T'aurais mon expérience, je pourrais t'expliquer, mais là, désolé, t'es trop minus.

Il n'avait pas écrit de tout le séjour, à part une carte postale de quelques lignes qui ressemblait à un message codé.

Salut la family,

Ça va, vous ? Ça gaze ? Moi, je speake English à bloc et je regarde Top of the Pops *dans ma famille every night.*

Votre Jean-A.

– Parfaitement bilingue, tu disais, chéri ? avait commenté maman. J'ai peur que notre Jean-A. n'ait perdu son français plus vite qu'il n'a appris l'anglais.

– Aucune importance, chérie, l'avait rassurée papa. À son retour en France, nous lui trouverons un séjour en famille indigène.

– Je te rappelle que *nous sommes* sa famille indigène, avait remarqué maman.

– C'est vrai, avait fait papa qui, brusquement, n'avait plus l'air rassuré du tout.

– Allez, raconte ! j'ai insisté pendant que Jean-A. enfermait à double tour les souvenirs qu'il avait rapportés dans le tiroir de son bureau. Promis, je t'appellerai John-A. jusqu'à ta majorité.

– Pas question, il a fait en balayant la mèche qui lui tombait sur les yeux. On n'est plus dans la même catégorie, mon petit vieux, fourre-toi bien ça dans le crâne ! Maintenant, si ça ne t'embête pas de disparaître en fumée, j'aimerais bien écouter tranquillement le Hit-parade à la radio.

– Y a plus de piles.

– Quoi ? Tu m'as piqué mon transistor pendant que j'étais *abroad* ?

J'ai ricané.

– Je me suis pas gêné non plus pour baver sur ton oreiller toutes les nuits.

Jean-A. a blêmi.

– T'as vraiment de la chance que je frappe pas les minus qui ont un moignon, il a grincé entre ses dents.

– J'ai pas besoin de mes deux bras pour mettre une rouste à un Anglais. Tu veux que je te montre ?

Jean-F. en a profité pour débouler dans la chambre, suivi comme son ombre par Jean-E. qui brandissait une épée en Meccano à moitié dévissée.

– On peut faire la bagarre avec vous ?

– Ça va être un carnaze !

Alors, forcément, les moyens s'en sont mêlés aussi et ça a dégénéré.

On a réussi à les repousser hors de notre chambre à grands coups de polochons et la bataille s'est poursuivie dans celle des moyens. Mais c'est exactement ce qu'avaient prévu Jean-C. et Jean-D. : embusqués sur le lit du haut, ils nous ont accueillis par un tir nourri de slips et de chaussettes tellement sales qu'on a dû battre en retraite, Jean-A. et moi, de peur de périr asphyxiés.

Ça a quand même été une sacrée bonne bagarre.

Jean-A. ne m'avait pas manqué une minute, mais c'était bien de se retrouver tous les six, au complet. Sauf quand Jean-C., en vrai tireur d'élite, a lancé une de ses chaussettes sales roulée en boule... en plein dans la figure de maman qui venait ramener le calme.

On a tous été consignés dans nos chambres, avec interdiction d'en sortir jusqu'au dîner.

Plus tard, à l'heure des douches, j'ai entendu le transistor de Jean-A. qui marchait dans la salle de bains où il s'était enfermé depuis un moment.

– T'as trouvé des piles neuves ? j'ai crié derrière la porte.

– *Yep, brother*, il a répondu. Celles de ton talkie-walkie.

– Quoi ? Tu m'as piqué mes piles ?

– Et je suis en train de me laver les pieds avec ton gant pour la figure, il a ricané.

Et il a mis l'eau à couler à fond pour faire croire qu'il se récurait pendant qu'on patientait en file indienne dans le couloir, le pyjama à la main.

– Tu me le paieras, John-A., j'ai juré entre mes dents.

Jean-A. n'en a pas raconté plus sur son séjour chez les Smith.

Terminé, en tout cas, les maquettes d'avion en balsa qu'il aimait construire. Terminé aussi nos parties de 1 000 Bornes ou de bataille navale. Sur son bureau, la photo d'un guitariste à cheveux verts avait remplacé celle de notre première télé, et il passait des heures dans la salle de bains à contempler dans la glace son soupçon de moustache comme pour l'aider à pousser plus vite.

Il a fallu attendre qu'il fasse développer ses photos d'Angleterre pour qu'on découvre qu'il y avait une fille pile de son âge dans sa famille indigène.

– Une fille ? il a dit, rouge comme une pivoine, comme s'il la découvrait lui aussi. Ah oui, ça me revient maintenant... J'ai pas trop eu le temps de lui parler, en fait, avec les cours intensifs et mes bases grammaticales à consolider.

– Curieux, a remarqué papa. On ne voit pourtant qu'elle sur tes photos.

– Ah bon ? a dit Jean-A. en faisant l'étonné. Elle

a dû se mettre devant les monuments sans que je m'en aperçoive, alors.

Maman revenait juste de la boîte aux lettres, une liasse de courrier à la main.

– Est-ce que quelqu'un s'appelle John-A. dans cette famille ? elle a demandé.

Jean-A. a dégluti bruyamment.

– Euh oui… Pourquoi ?

– Trois lettres viennent d'arriver pour lui. Envoyées d'Angleterre par une certaine Victoria Smith.

– De plus en plus curieux, a remarqué papa. Est-ce que ce n'est pas le nom de famille de tes hôtes ?

Jean-A. semblait avoir l'air de vouloir disparaître dans ses baskets.

– Tu sais, tout le monde s'appelle Smith, là-bas.

– N'empêche, a fait papa. Trois lettres d'un coup, entre gens qui se sont à peine parlé !

Jean-A. s'est tapé sur le front comme s'il venait soudain de comprendre les raisons de cette incroyable coïncidence.

– C'est sûrement pour les timbres, il a bredouillé en prenant les enveloppes de la main de maman. Comme Vic… enfin, comme cette fille Smith savait que j'en fais la collection, elle a dû croire…

Papa a hoché la tête.

– Une délicate attention de sa part. J'ai toujours pensé que la philatélie était un formidable trait d'union entre les peuples.

Puis, se tournant vers maman :

– La prochaine fois que j'ai une excellente idée comme ce séjour linguistique, chérie, rappelle-moi de la garder pour moi, tu veux bien ?

Diabolo

C'est un peu après la rentrée que j'ai trouvé Diabolo.

On est tombés dessus par hasard, Grandrégis et moi, un après-midi qu'on jouait au rugby dans la colline.

Grandrégis, c'est le chef de la bande des Castors et l'ancien meilleur copain de Jean-A. Mais depuis l'histoire avec sa sœur Pauline, ils n'étaient plus meilleurs copains du tout.

On jouait de temps en temps ensemble, dans la colline au-dessus de la villa. Il avait fait sa poussée de croissance bien avant Jean-A. mais son cerveau n'avait pas dû grandir à la même vitesse que le reste de son corps. Au lycée, il dépassait tout le monde de deux têtes, même les profs. En le voyant débouler dans son maillot de rugbyman, avec ses oreilles en feuilles de chou et son nez tout cabossé, personne n'avait envie de lui rappeler qu'il était redoublant.

C'est rassurant quelquefois, d'avoir un copain comme ça. Vous voyez Bill Ballantine et Bob Morane, les héros de romans ? Eh bien, c'est un peu Grandrégis et moi. D'un côté un géant aussi douillet qu'un boulet de canon. De l'autre un garçon au visage franc, expert en self-défense et en codes secrets hyper sophistiqués... Les autres, au lycée, avaient compris très vite qu'ils n'avaient pas intérêt à venir nous embêter.

Ce jour-là, on s'entraînait à passer des pénalités. Le ballon à moitié dégonflé avait des rebonds bizarres et le jeu au pied n'est pas le fort de Grandrégis. Il l'a posé en équilibre entre deux cailloux, a pris son élan et *pan!* l'a expédié par-dessus les arbres d'un coup de tatane magistral.

– T'as vu ça ? il fait. Une péno d'au moins cinquante mètres !

– C'est malin, j'ai dit. Il va falloir retrouver ton ballon pourri, maintenant.

On a cherché un bon bout de temps, nous enfonçant toujours plus loin dans un fouillis d'amandiers. Jamais on n'était allés dans ce coin-là de la colline.

À un moment, on est tombés sur une clôture. Derrière, il y avait un jardin à l'abandon, plein de ronces et d'herbes jaunes aussi hautes qu'un homme, une maison dont les volets tombaient en ruine. C'est à peine si on arrivait à lire « Propriété privée » sur l'écriteau accroché au grillage.

– Mince ! a fait Grandrégis. Et mon ballon dédicacé ?

– Laisse tomber, j'ai dit. On va se faire tirer dans les fesses.

– Y a personne. T'as la trouille, c'est ça ?

– Tu rigoles ? C'était une vraie patate, ton ballon. En plus, c'est pas moi qui ai shooté dedans comme un malade. Si on se fait prendre, ça va barder pour nos matricules !

– Je repars pas sans mon ballon, s'est entêté Grandrégis.

Comme il est le chef de la bande des Castors, il se croit aussi le chef de la colline. C'était clair, il n'allait pas se laisser impressionner par un vulgaire panneau « Propriété privée ».

Je me suis glissé après lui dans un trou du grillage en râlant. À cause de sa patate dédicacée, j'allais rater le début de *La Piste aux étoiles*.

On s'est séparés pour farfouiller dans l'herbe avec un bâton, et c'est comme ça que j'ai trouvé Diabolo.

Enfin, celui que j'ai appelé Diabolo et qui n'était encore qu'un minuscule chaton sans nom...

Il dormait en boule dans un morceau de carton, bien à l'abri sous les branches d'un figuier. Un bébé chat tout maigre, rayé comme une chaussette de sport et si minuscule qu'il tenait dans la main.

Quel âge pouvait-il avoir ? Quand je l'ai soulevé avec précaution, il s'est réveillé d'un coup. Mais au lieu d'avoir peur, il a poussé un miaulement étonné.

Enfin, pas exactement : il a ouvert sa petite gueule toute rose, mais aucun son n'en est sorti.

Il a recommencé une deuxième fois, pareil. On aurait dit qu'il faisait juste semblant.

Un chaton muet, j'ai pensé. Incroyable.

Je n'ai pas réfléchi. Je l'ai fourré sous ma chemise comme un voleur. Je n'avais pas envie que Grandrégis le voie. Par chance, il avait retrouvé son ballon pourri et on a détalé tous les deux sans demander notre reste.

Depuis que je suis tout petit, je rêve d'avoir un animal à moi.

Dans les romans d'aventures que j'emprunte à la bibliothèque, les héros ont toujours un chien hyper débrouillard. En plus d'être fidèle et affectueux, il est capable de les retrouver sous une avalanche, de faire passer un message secret en douce ou de sauter à la gorge d'un rôdeur qui s'approche de leur tente.

Ce n'est pas Wellington et Zakouski, nos poissons rouges, ni Batman, le chinchilla de Jean-C., qui seraient capables de faire ça. Mais papa et maman n'ont pas l'air de croire que je puisse être un jour enseveli sous une avalanche ou prisonnier d'un souterrain sans issue.

– Pas question de transformer la maison en ménagerie, répète papa. Six garçons, c'est largement suffisant.

La goutte qui a fait déborder le vase, c'est Victor, le coq nain le plus teigneux de la galaxie. Impossible d'entrer dans le jardin sans que Victor nous saute aux mollets. Même le facteur y a eu droit, et papa en a vite eu assez de se faire déchiqueter les chaussettes chaque fois qu'il arrosait les massifs ou qu'il allumait le barbecue. De quoi le dégoûter à jamais des animaux domestiques.

On a eu aussi deux petits chats, appelés Première et Deuxième Chaîne parce qu'ils étaient noir et blanc comme les programmes de la télé. Mais ils vivaient à la campagne, chez papy Jean et mamie Jeannette, et on n'en avait plus entendu parler depuis qu'ils avaient voulu gober Suppositoire, le poisson de Jean-E.

– Comment tu vas appeler ton chat ? m'a demandé Jean-C. ce soir-là.

– Bernardo, a proposé Jean-D. Comme le serviteur muet de Zorro.

Jean-F. en a profité pour entonner à tue-tête sa chanson favorite :

– Un cavalier qui surgit hors de la-a nuit...

– Il n'est pas muet, j'ai dit en me bouchant les oreilles. Il est juste trop petit, sa mère n'a pas eu le temps de lui apprendre à miauler.

– Ça s'apprend pas, banane, a ricané Jean-A. C'est naturel, comme de zozoter.

– Il a un cheveu sur la langue, ton chat ? a demandé Jean-D.

– Les çats n'ont pas de ceveux, ze t'apprendrai, a rétorqué Jean-E.

– Une minute, a dit papa. Je rappelle à toute l'assemblée qu'il est absolument hors de question de garder cet animal à la maison.

On était tous à la cuisine, regardant le chaton bâiller dans la boîte à chaussures où maman l'avait installé. Il n'avait pas l'air intimidé du tout, comme s'il nous connaissait depuis toujours.

Il faisait chaud, ça sentait bon le dîner du soir et

il s'est étiré avec confiance, si petit que ses pattes ne touchaient même pas les montants de la boîte.

On s'est tous tournés vers papa avec horreur.

– Tu veux qu'on le remette dans la colline ? En pleine nuit ? Pour qu'il meure de faim et de froid ? Ou pire, de chagrin ?

Papa est resté de marbre.

– Bien essayé, les enfants. Mais pas question d'être mis devant le fait accompli. Ce chat doit retourner d'où il vient. N'est-ce pas, chérie ?

– C'est qu'il est si petit et si maigre, a dit maman. Et puis, il prend si peu de place...

– Comment ? s'est emporté papa. Toi aussi, chérie ? Et nos principes éducatifs ?

– Il n'a pas de voix, a continué Jean-C. Jamais il ne pourra appeler sa mère s'il est attaqué par des rats géants.

– C'est peut-être un chat orphelin, j'ai renchéri. Il n'a personne pour le défendre, à part nous.

Mais papa est demeuré inflexible.

– Je refuse d'enlever ce petit être à l'affection de son foyer. Puisque c'est comme ça, je le rapporterai moi-même.

C'est alors que le miracle s'est produit.

Papa a saisi Diabolo par la peau du cou comme une vulgaire épluchure de banane. Le chaton paraissait encore plus minuscule dans ses grandes mains.

Mais, soudain, un moteur de modèle réduit s'est mis en route dans sa poitrine. Une sorte de bourdonnement insistant et doux qui nous a fait passer dans le dos un drôle de frisson.

– Hourra ! s'est exclamé Jean-A. Il ronronne !

Même papa en est resté bouche bée. Il regardait Diabolo, les yeux écarquillés, comme une montre en panne qui serait repartie brusquement.

– Papa, je crois qu'il t'adore, j'ai dit.

Papa ne savait plus quoi faire. Diabolo s'était fourré contre sa poche de poitrine, fermant les yeux et ronronnant de plus belle.

– Il n'est pas muet, alors ? s'est étonné Jean-C.

– Très étrange, a dit maman. Il ne miaule pas mais il ronronne. Comment est-ce possible, chéri ?

Papa est très fort comme médecin. Il s'est raclé la gorge pour expliquer :

– C'est très simple, en réalité. C'est parce que… eh bien… en fait, les cordes vocales d'un chat… Ce qui ne l'empêche pas de… Comment dire…

Il s'est interrompu, cherchant ses mots, pendant que Diabolo, dans ses bras, ronronnait comme un bombardier B52.

– Lumineux, chéri, a approuvé maman. Tout s'explique.

– En résumé, bien sûr, a toussoté papa. Vous n'avez pas fait sept ans de médecine comme moi pour… enfin…

– En tout cas, a remarqué maman, cet animal t'a adopté, chéri. Ce serait vraiment trop cruel de lui rendre sa liberté. Et puis, c'est bientôt l'anniversaire de Jean-B. Ne serait-ce pas l'occasion d'oublier nos principes éducatifs ?

– Très bien, a capitulé papa. Puisque le chef de famille n'a plus le droit de donner son avis dans cette maison...

– On le garde, alors ? on s'est exclamés en chœur.

– Mais attention, Jean-B., a prévenu papa en me fourrant le chaton dans les bras. Que ton protégé ne s'avise pas de faire ses griffes sur le canapé du salon ou je vous inscris tous les deux séance tenante aux scouts marins, c'est bien clair ?

– Promis, papa ! Et je jure que je changerai sa litière tous les jours jusqu'à ma majorité !

Diabolo s'était blotti dans mes bras. Il a poussé un gros soupir et s'est endormi instantanément comme s'il avait compris qu'il était sauvé.

C'était le plus beau cadeau d'anniversaire de toute ma vie.

Diabolo, c'est moi qui ai trouvé ce nom. C'est celui d'un des personnages dans *Les Fous du volant*, notre série de dessin animé préférée. Et ça lui allait parfaitement : c'était un vrai petit diable.

Comme c'était encore un bébé chat, maman avait réquisitionné un des biberons Dragibus que Jean-C. achète à la confiserie du quartier. On l'a nourri avec du lait tiède pendant presque trois semaines, et il était si goulu que, quelquefois, il arrachait la tétine tellement il tirait dessus. Après, je le promenais à cheval sur mon épaule en le secouant un peu pour qu'il fasse son rot.

– Tu joues à la dînette avec ta poupée ? ricanait Jean-A.

En fait, il était jaloux à mort. Il aurait voulu que ce soit son chat à lui et, quand j'avais le dos tourné, il essayait de l'apprivoiser en lui donnant à manger en cachette ou en jouant des morceaux nuls sur sa nouvelle guitare.

– Si tu posais tes gros doigts boudinés ailleurs que sur *mon* chat ? je faisais quand je le surprenais en train de caresser Diabolo.

En fait, moi aussi j'étais jaloux à mort. J'aurais voulu qu'il ne soit qu'à moi.

– Ce sac à puces ? Tu peux toujours te brosser pour qu'il dorme dans *ma* chambre.

– C'est aussi la mienne, je te signale.

J'adorais, quand je rentrais du lycée, savoir que Diabolo m'attendait. La plupart du temps, il dormait dans sa boîte à chaussures, dans la cuisine, comme s'il s'était ennuyé toute la journée sans moi. D'autres fois, en me voyant arriver, il partait à fond de train dans toute la maison en poussant ses drôles de miaulements silencieux. Je jetais mon cartable dans l'entrée, attrapais un goûter et on se lançait tous les deux dans des jeux jusqu'au dîner.

Son préféré, c'était de courir après une balle de ping-pong scotchée à une ficelle. Au début, il était maladroit, dérapant sur le carrelage et s'assommant à moitié sur les pieds de chaise. Vexé comme un pou, il se mettait alors à sauter sur place comme un ressort, le dos rond et les oreilles dressées à la façon du Marsupilami.

Quand on faisait nos devoirs, Jean-A. et moi, il se promenait sur nos cahiers, tournant autour des stylos en reniflant nos divisions à retenue ou nos résumés d'histoire. On aurait dit qu'il cherchait à comprendre ce qu'on faisait. À moins que ce soit juste l'odeur de l'encre qui l'excitait parce qu'il adorait se rouler sur les vieux buvards tachés et les mettre en charpie.

– Ton chat m'a encore fait faire une faute d'orthographe ! hurlait Jean-A. Ce sera à cause de lui si j'ai une mauvaise note !

Bientôt, Diabolo a été assez grand pour jouer dehors. J'aurais voulu qu'il reste dans le jardin pour pouvoir le surveiller mais, à la première occasion, il a filé dans la colline et on ne l'a plus revu de toute la journée.

Le soir venu, j'étais mort d'inquiétude. Et s'il s'était perdu ? J'avais lu une histoire dans laquelle un chat traverse toute la France pour rejoindre ses maîtres qui ont déménagé. Mais Diabolo n'avait que deux mois. Est-ce qu'il saurait retrouver le chemin de la maison ?

J'ai aussi pensé à la fourrière. Pourvu qu'elle n'ait pas pris Diabolo pour un chat errant !

Et puis la colline est pleine de pièges pour un chat débutant. Il pouvait dégringoler d'un arbre, être mordu par une vipère, se faire attaquer par un autre chat ou pire encore : tomber sur les Castors. Depuis qu'ils nous avaient détruit notre cabane, à Jean-A. et à moi, on les savait capables de tout. Même de tirer au lance-pierres sur un bébé chat.

– J'y vais, j'ai dit.

– Je t'accompagne, a décidé Jean-A.

– Je viens avec vous, a décrété Jean-C.

Ce n'était pas leur chat mais on ne serait pas trop de trois si on tombait sur les Castors.

– Merci, les gars, j'ai dit. S'ils lui ont fait du mal, ça va salement saigner.

– Dommage qu'on n'ait plus la carabine à patate, a remarqué Jean-C.

– C'est ta faute, Jean-A. Si t'avais pas tiré sur les mollets de ta fiancée…

– De ma fiancée ? s'est étranglé Jean-A. Répète un peu si t'es un homme !

Mais ce n'était pas le moment de se disputer. Le soir tombait. Il fallait qu'on se dépêche si on voulait retrouver Diabolo avant l'heure du dîner. On a pris nos lampes torches, les talkies-walkies offerts par papy Jean et on s'est glissés dans la colline.

Arrivés dans la clairière, on s'est séparés. Chacun est parti de son côté en appelant Diabolo à mi-voix pour ne pas être repéré par les Castors. Mais comment retrouver un minuscule chaton muet dans un espace aussi grand ?

À un moment, le talkie s'est mis à crachoter dans ma poche, me faisant sursauter.

– *Bzzr scrouitch*... Java-Alpha à Java-Bêta, me recevez-vous ?

– C'est toi, Jean-A. ?

– *Bzzr scrouitch*... Qui veux-tu que ce soit, banane ?

– Tu as trouvé Diabolo ?

– Cible non repérée. Je répète : cible non repérée.

– Pourquoi tu appelles, alors ?

– *Bzzr scrouitch*... Je répète : *bzzr scrouitch*...

Pas de Diabolo, pas de Castors non plus. On aurait dû s'y attendre : il fallait être stupides pour s'aventurer dans la colline à cette heure, avec la nuit qui était tombée et les branches basses qui nous griffaient la figure.

Puis Jean-C. s'est perdu, il a fallu le chercher lui aussi.

On est rentrés bredouilles à la maison, en se chamaillant comme des chiffonniers. Vu l'heure, papa et maman allaient nous passer un sacré savon !

– Ah ! vous voilà, a dit maman d'une voix glaciale. L'un d'entre vous aurait-il l'obligeance de m'expliquer où vous étiez ?

Jean-A. et Jean-C. ont répondu d'une même voix :

– C'est la faute de Jean-B. ! Il nous a forcés à chercher Diabolo dans la colline.

– Diabolo ? Mais il prend l'apéritif au salon !

Il dormait à poings fermés, roulé en boule sur les genoux de papa qui n'osait ni allumer sa pipe ni tourner les pages de son journal. Il avait dû s'en donner à cœur joie dehors. Des brindilles étaient prises dans ses poils et ses pattes s'agitaient toutes seules par instants, comme s'il rêvait qu'il poursuivait une sauterelle ou qu'il bondissait de branche en branche.

Il était sain et sauf, en tout cas, même si le dîner était froid.

Pour mon anniversaire, quelques jours plus tard, papa et maman lui ont offert un collier avec une petite plaque gravée à notre nom. Comme ça, s'il se perdait, on saurait qu'il avait une famille.

Et puis, un matin d'hiver, il ne s'est pas levé.

Quand je suis descendu à la cuisine, il était couché dans sa boîte à chaussures, le poil tout collé et les yeux ternes. Papa l'a examiné et a trouvé sa petite truffe brûlante. Il avait de la fièvre.

– Rien de sérieux, sans doute, m'a rassuré papa. Les chats attrapent des rhumes, comme les humains. Un peu de repos et il sera très vite sur pattes.

Mais son état s'est aggravé. Il ne mangeait plus, lui qui n'était déjà pas bien gros, et son corps était tout mou quand on le saisissait, comme un ressort qui se serait dévidé complètement.

Dès le lendemain matin, papa a fait venir un vétérinaire. Ils se sont parlé à mi-voix, entre médecins. Mais même au biberon, mélangés dans un peu de lait chaud, impossible de lui faire prendre ses médicaments.

L'après-midi, je suis rentré à fond de train du lycée pour savoir comment il allait.

Dans la cuisine, sa boîte à chaussures avait disparu.

– Assieds-toi, mon Jean-B., m'a dit maman en posant sa main sur mon bras. J'ai une triste nouvelle à t'annoncer.

Mais je n'avais pas besoin qu'elle m'en dise davantage. J'avais compris. J'ai attrapé le petit collier posé sur la table et j'ai filé me jeter sur mon lit pour pleurer tout mon soûl.

– Je te prête mon électrophone. Et mes tubes préférés. Tu sais quoi ? Tu peux même prendre ma guitare. Je vais te montrer des accords…

Jean-A. ne savait pas quoi faire pour me consoler.

Ça a été un triste dîner ce soir-là. Personne n'avait d'appétit ni envie de parler. Le bruit de la balle de ping-pong rebondissant sous la table nous manquait trop. Même Batman, dans sa cage, avait les oreilles en berne.

– Ce n'était pas un rhume, malheureusement, a expliqué papa, mais le typhus, une maladie mortelle qui touche les chats en bas âge comme Diabolo.

Où l'avait-il attrapé ? Impossible de le savoir, ni même si on l'aurait sauvé en le soignant plus tôt. Mais chaque soir, en revenant à la maison, j'avais le cœur qui s'emballait en pensant à Diabolo.

Il me semblait que j'allais le voir débouler de la colline, la queue en l'air et les moustaches ébouriffées, pour m'accueillir et me faire la fête.

Jean-A. avait dépensé tout son argent de poche de l'année dans l'achat de sa guitare.

D'habitude, comme il est super radin, il met tous ses sous de côté dans une boîte de Nesquik fermée avec du Scotch. Quand elle est pleine, il s'achète des maquettes de planeurs ou de trois-mâts qu'il passe des heures à monter. Mais cette fois, même avec l'argent que papa et maman lui avaient donné pour son séjour en Angleterre, il n'avait pas assez pour se payer la guitare électrique et l'ampli de ses rêves.

– J'ai un super plan, il m'a dit. Tu me prêtes ton argent de poche et moi, je ne te fais pas de cadeau pour ton anniversaire, comme ça je peux économiser pour te rembourser plus vite.

Je ne suis pas très fort en calcul mental mais ça ne m'avait pas paru très égal, comme marché.

– Tu me prends pour une banane ? j'ai dit.

– J'ai un autre super plan : tu me donnes l'argent qui manque et tu auras le droit de venir gratis à mes concerts quand je serai devenu idole des jeunes.

Papa et maman avaient tenu bon. Imaginer Jean-A., guitare en bandoulière, en train de se tortiller près d'un ampli gros comme un radiateur n'avait pas l'air d'entrer non plus dans leurs principes éducatifs.

– Pas question d'avoir un yé-yé à la maison. Si tu tiens à jouer d'un instrument, pourquoi ne pas apprendre le hautbois ou la flûte à bec ?

Papa et maman n'écoutent que des disques classiques, que papa passe sur l'électrophone du salon, le dimanche matin, en battant la mesure avec sa pipe et en chantonnant « pom pom pom ». Mais qui peut devenir idole des jeunes en jouant de la flûte à bec, même en pantalon pattes d'eph' ?

– Je vous préviens, ce sera votre faute si je rate ma vie professionnelle. Pour une fois que j'ai une vocation ! s'emportait Jean-A.

Et il allait s'enfermer dans sa chambre (enfin, dans notre chambre), claquant la porte à toute volée avant de mettre sa radio si fort qu'on n'entendait même plus les « pom pom pom » de papa.

– C'est l'âge bête, chéri, soupirait maman. Ça lui passera bientôt...

– La prochaine fois que je voudrai un fils aîné, chérie, rétorquait papa, rappelle-moi de l'expédier dès sa naissance aux enfants de troupe, d'accord ?

C'est Jean-A., finalement, qui a trouvé l'argument décisif.

– Je ne pourrai jamais faire de progrès en anglais en jouant de la flûte à bec. Alors qu'avec mes chansons pop préférées...

Papa a pris une profonde inspiration avant de souffler par le nez, les yeux fermés, comme s'il relâchait progressivement le gaz d'une bouteille de soda.

– D'accord, il a fait. Puisque l'avis du chef de famille compte pour du beurre dans cette maison, tu peux t'acheter une guitare. Mais une vraie.

Jean-A. n'en croyait pas ses oreilles.

– Comment ça, une *vraie* ?

– Une guitare sèche. Un machin sans amplificateur, quoi. Quelque chose pour faire de la musique, pas des décibels.

– Ça se voit que vous ne connaissez rien à la pop ! a gémi Jean-A. Il y a mille ans que ça ne se fait plus, les guitares sèches !

– À prendre ou à laisser, a déclaré papa. Pas question

de te laisser faire sauter tous les plombs du compteur ou rendre tes frères sourdingues.

Quand Jean-A. a rapporté sa guitare sèche à la maison, on aurait dit qu'il transportait une momie près de tomber en poussière au moindre choc.

Comme il n'avait pas assez d'argent pour une neuve, il avait acheté celle-là d'occasion à un grand de 1re. La housse et la caisse de l'instrument étaient recouvertes d'autocollants, le bois du manche semblait tout raboté, mais Jean-A. n'avait jamais été aussi fier de sa vie.

– Le premier qui y touche, il est mort, il a averti. Compris, les minus ?

La première nuit, il l'a montée dans son lit. Elle prenait tellement de place qu'il était obligé de se coucher sur le côté, le dos au bord du vide, et chaque fois qu'il bougeait, on entendait les cordes vibrer.

– Tu vas me casser les oreilles toute la nuit avec ta casserole ? j'ai demandé.

– Tu peux pas comprendre, il a ricané. C'est pas pour en jouer : c'est pour l'apprivoiser.

J'ai repensé à Diabolo, à la façon dont je l'avais apprivoisé, moi, et les larmes me sont montées aux yeux. À cause de Jean-A., mon chat n'avait jamais pu dormir avec moi, sur mon lit, et maintenant, c'était trop tard.

– Tu sais quoi ? il a continué. Je viens de créer mon groupe pop.

– M'en fiche, j'ai dit.

Mais la curiosité l'a emporté.

– Ton groupe pop ? Avec qui ?

– Moi tout seul, il a fait. C'est un groupe solo : John-A. and the Carpets.

– Jean-A. et les Carpettes ? C'est pourri, comme nom.

Il s'était assis en tailleur dans le noir et s'était mis à faire des chlong et des chboing sur sa guitare.

– La ferme, maintenant. Tu m'empêches de me concentrer.

J'ai haussé les épaules.

– Comment tu veux l'apprivoiser ? Tu connais aucun accord, banane.

– Pas la peine, il a dit. Je compose mes propres morceaux.

Il y a eu une autre rafale de chlong et de chboing, puis il s'est mis à faire couiner ses cordes. Je me suis bouché les oreilles. On aurait dit une craie qui crisse au tableau et vous fait grincer des dents.

– Comme ça, il a dit, ça rend moyennement, mais avec un ampli à fond et de la lumière stroboscopique, ça risque d'être énorme.

Le pire, c'est quand il s'est mis à chantonner. Déjà que sa voix déraille naturellement...

– Loviou bidou-oua... (*chboing, chlong !*) Loviou bidou-oua, mailleu loveuh... (*chboing, chlong !*)

Je me suis fourré la tête sous l'oreiller pour ne pas entendre la suite.

– Alors, qu'est-ce que tu en penses ? il a demandé après un dernier chboing triomphal.

– Sincèrement ? j'ai dit. C'est papa qui avait raison : t'aurais mieux fait de te mettre à la flûte à bec.

– Je vais donner un concert au lycée pour la fin d'année, il a poursuivi en sautant à bas du lit, excité comme une puce. Juste avec mes morceaux perso et des choristes qui dansent derrière.

Il avait allumé la lampe du bureau et se trémoussait

comme un malade, pieds nus dans son pyjama trop court.

– John-A. and the Carpets ! T'imagines ? Avec la recette du concert, je m'achète une batterie et je pars en tournée mondiale dans toute la France !

– Et c'est qui, « mailleu loveuh » ? j'ai demandé.

Ça l'a coupé net dans son élan.

– Qui ? il a fait. De quoi tu parles ?

– La fille de ta chanson. Me prends pas pour une banane en anglais, John-A. C'est pour Isabelle, ta copine de classe, que tu écris des chansons d'amour ?

Il est devenu cramoisi.

– T'es malade ? D'abord, c'est pas ma copine, et en plus, elle a changé de place.

– T'as une autre voisine, alors ?

– Oui. Marie-Pierre. Je suis le seul garçon en latin, je te rappelle.

J'aimais mieux Isabelle, comme prénom, mais Marie-Pierre, c'était pas mal non plus.

– Et elle est comment ?

Il a réfléchi un instant.

– Physiquement ? Je l'ai à peine regardée, en fait. Tu vois Falbala, dans Astérix et Obélix ? Eh ben, presque aussi moche.

– Ouah ! Elle doit être horrible, alors.

– Tu l'as dit. Mais qu'est-ce que ça peut faire ?

Y a que la musique dans ma vie. Pas le temps pour les filles, mon petit vieux.

Il n'avait pas tort pour l'anglais, en tout cas. Grâce au temps qu'il passait à grattouiller sur sa guitare, ses résultats se sont mis à monter en flèche.

– Finalement, ce séjour linguistique n'était pas une si mauvaise idée que ça, chérie, a jubilé papa quand le bulletin de Jean-A. est arrivé.

– J'ai peur que nous n'ayons du mal à lui trouver une famille indigène pour relever son niveau de latin, chéri, a fait remarquer maman.

Dans cette matière, bizarrement, les notes de Jean-A. avaient chuté d'un coup.

« Semble plus intéressé par ses camarades que par le cours », avait noté le professeur.

Jean-A. est devenu blême. C'était bien la première fois qu'il avait une mauvaise appréciation sur un bulletin.

– C'est la faute des filles, il a expliqué. Avec leurs bavardages, impossible de travailler.

– C'est vrai, a compati papa avec un soupir, que la gent féminine est souvent terriblement…

– Pardon ? a fait maman.

– Euh… je disais que ce n'était pas une excuse, chérie, s'est rattrapé papa. J'ai bien l'impression que Jean-A. consacre plus de temps à sa nouvelle carrière de yé-yé qu'à ses déclinaisons.

Au lieu de se fâcher, il a eu une autre idée géniale : Jean-A. n'avait qu'à rebaptiser son groupe *Janus-A. cum carpetibus*. Il ne chanterait qu'en latin, comme à la messe, et comme ça, il retrouverait vite son niveau d'avant.

Et puis, pour faire bonne mesure, papa vérifierait désormais ses devoirs tous les soirs en rentrant du travail.

– Tu me prends pour un moyen ? a protesté Jean-A. J'ai plus l'âge qu'on me fasse réciter mes leçons !

Papa est resté inflexible.

– Ou tes notes remontent très vite, mon grand, ou je confisque cette poêle à frire... pardon, cette guitare. Nous sommes bien d'accord ?

Jean-A. a quitté le salon furieux, en maugréant que personne ne le comprenait dans cette famille. Quelques instants après, on entendait des dzoing-dzoing déchirants qui montaient de la chambre.

– C'est l'âge bête, a soupiré maman. Ça lui passera...

– Est-ce que ze l'aurai, moi aussi, l'âze bête ? a zozoté Jean-E.

– Bien sûr, a dit papa en soupirant à son tour. Tout le monde y passe un jour ou l'autre.

– Toi aussi, alors, tu y es passé ? a demandé Jean-C.

Papa a ouvert des yeux ronds.

– Moi ?

– Tu avais des ceveux longs et un pantalon oranze, comme Zean-A. ?

Papa a fait trois petits plop avec sa pipe.

– Eh bien… c'était une autre époque, et…

– Ce que veut dire votre père, a expliqué maman, c'est qu'il a été jeune, lui aussi, bien sûr. N'est-ce pas, chéri ?

C'était difficile d'imaginer papa à l'âge de Jean-A., avec les cheveux qui lui tombent sur les lunettes et sa façon de traîner les pieds comme s'il tirait partout un boulet de bagnard.

– À ton époque, a demandé Jean-C., y avait déjà des filles en cours de latin ?

– Ce n'est pas pareil, a expliqué papa en toussotant. Le latin est très important quand on veut devenir médecin. Jamais je ne me serais laissé distraire par des… euh… camarades.

– C'était déjà un mot féminin, à ton époque ? a demandé Jean-C.

Mais papa n'avait visiblement aucune envie de continuer par une leçon de vocabulaire.

– Il est tard, il a dit. Vous avez tous certainement vos chambres à finir de ranger et vos cartables à préparer.

– On est samedi soir, chéri, a fait remarquer maman. Les enfants n'ont pas classe demain.

– Flûte alors, a fait papa d'un air navré, comme si c'était son propre dimanche qui tombait à l'eau.

– Est-ce qu'exceptionnellement on peut regarder *Chapeau melon et bottes de cuir* ? j'ai demandé.

C'est le feuilleton préféré de papa et maman. Comme il ne passe qu'après neuf heures et demie, le samedi soir, on n'a jamais le droit de le regarder avec eux alors qu'on adore John Steed et Tara King.

Papa a paru hésiter un instant. Mais quand Jean-F. s'est mis à chanter à tue-tête la musique du générique, il n'a plus hésité du tout.

– Au lit tout le monde, il a ordonné. Et que personne ne s'avise de se relever en cachette pour regarder le feuilleton par le trou de la serrure.

On a tous pris l'air offusqué.

– Vous ne voyez pas de quoi je parle, peut-être ? a fait papa en nous toisant, les bras croisés.

C'est le problème quand on a un père qui a été jeune avant nous : il connaît tous les trucs, impossible de faire des coups en douce sans se faire prendre.

– Nous ? on a protesté en chœur. On n'a jamais fait ça, parole d'honneur !

– Même qu'on n'a jamais vu que vous mangiez une tablette entière de chocolat au lait pendant chaque épisode, a précisé Jean-D.

Je lui ai balancé un coup de coude pour le faire taire. Quelle banane ! Et dire qu'il n'était pas encore entré dans l'âge bête !

Trop tard, cependant. Le mal était fait.

Papa a désigné la porte de l'index.

– Au lit immédiatement. Et n'oubliez pas qu'il existe une excellente école pour les enfants de troupe.

J'étais à peine couché que résonnaient déjà, derrière la porte du salon, les premières mesures de *Chapeau melon et bottes de cuir*.

C'était trop injuste. Tout ça à cause du fichu caractère de Jean-A. et de cet imbécile de Jean-D. !

Quand je serai adulte, je me suis promis, d'abord

je ne tomberai jamais amoureux. Ensuite, j'aurai une télé rien qu'à moi dans ma chambre, en plus d'un chat et de la collection complète du Club des Cinq. Et surtout, je me ferai naturaliser fils unique à la mairie, pour ne plus avoir de frères en plein âge bête qui me gâchent mes samedis soir avec leur sottise.

Un dimanche chez les Jean

Chez nous, le dimanche n'est pas un jour comme les autres.

On n'a pas école, bien sûr, mais on n'a pas non plus le droit d'avoir des copains qui viennent faire du vélo dans la cour, ni de filer dans la colline, à peine levés, pour grimper dans les arbres ou se tirer dessus comme des malades avec la sarbacane et le pistolet à fléchettes de Jean-C.

Maman est très organisée. Comme papa travaille beaucoup à l'hôpital et que c'est son seul jour de congé, le dimanche est réservé aux activités familiales. Pas question de faire la grasse matinée ou de traîner en pyjama.

– Debout, là-dedans ! claironne papa en faisant le tour des chambres. Tout le monde à table ! Il n'y aura pas de deuxième service, qu'on se le dise.

Il est déjà tout habillé, un tablier de cuisine noué autour de la taille parce que c'est lui qui prépare le petit déjeuner ce jour-là. Et à l'entrain avec lequel il tire les rideaux, on devine qu'il est fin prêt pour une journée entière d'activités familiales.

On n'a pas encore ouvert l'œil mais on est déjà épuisés par sa bonne humeur. On n'a plus qu'une idée en tête : disparaître sous l'oreiller, en râlant comme des marmottes dérangées dans leur hibernation par un chasseur impatient.

– Il faudra penser à me ranger cette tanière... euh... cette chambre, jeunes gens, remarque papa, un sourcil dressé, en effectuant un repli prudent entre les chaussettes sales, les pochettes de disque et les illustrés à moitié découpés répandus sur le sol.

On a beau bâiller un *Hon hon !* inaudible, comme s'il nous arrachait du beau milieu d'un rêve, papa est sans pitié.

– *Hurry up, boys !* Et je vous préviens : le dernier arrivé débarrassera la table.

Dans la salle à manger, le petit déjeuner est déjà servi. Maman a mis sa robe de chambre chinoise, et une odeur de bain moussant et de dentifrice flotte autour d'elle quand on l'embrasse, encore tout ébouriffés de sommeil.

– Bien dormi, mes Jean ? Il fait un temps superbe. Je sens que ça va être une magnifique journée.

– Pom pom pom ! fredonne papa en servant le chocolat. Qui veut de délicieux toasts brûlés ?

Papa est très fort comme médecin, mais heureusement qu'il n'a pas besoin de grille-pain pour soigner ses patients. Il a mis un disque sur l'électrophone et monte le son à son passage préféré.

– Quoi de plus tonique qu'un réveil en musique ?

– Oh, non ! Pas encore *La Moldau* ! gémit Jean-A. en se bouchant les oreilles avec une grimace horrible.

Jean-F., sur sa chaise haute, se goinfre déjà de céréales, un bavoir autour du cou, ses petites jambes trépignant en cadence. Jean-E. est si mal réveillé qu'il en oublie de zozoter. Quant à Jean-D., il s'entraîne à beurrer ses biscottes sans les casser, ce qu'il n'a jamais le temps de faire durant la semaine.

On a vu ça un jour à la télévision, dans une émission de conseils pratiques : il suffit de mettre deux biscottes l'une sur l'autre et de beurrer celle du dessus. Mais Jean-D. est aussi habile de ses dix doigts que ses GI Joe. On dirait qu'il manipule une grenade dégoupillée et, à la fin, ça ne rate pas :

ses biscottes lui explosent à la figure, couvrant la nappe de deux fois plus de miettes que s'il n'en avait beurré qu'une seule.

– Bon, dit papa avec une patience inhabituelle, si tu prenais plutôt de cette savoureuse confiture maison ?

Personne n'ose le dire, parce que c'est maman qui l'a faite, mais on déteste la confiture maison. Comme on doit apprendre à goûter à tout, maman raffole des recettes originales. Sa dernière spécialité, c'est la confiture de tomates vertes, un truc acide avec plein de pépins qui se fichent entre les dents.

– De la confiture de tomates ? a grimacé Jean-A. la première fois. Beurk ! Je mange pas de légumes au petit dèj', moi.

– Les enfants, a expliqué maman qui ne rate jamais une occasion d'enrichir nos connaissances, même au petit déjeuner, apprenez que la tomate est un fruit, contrairement à ce que l'on croit communément. C'est très sain, plein de vitamines et, en plus, ça rend aimable.

Jean-A. s'est senti visé par cette dernière remarque.

– M'en fous des vitamines, il a grommelé dans sa barbe.

– Pardon ? a fait papa.

– Je disais, s'est rattrapé Jean-A., que cette... euh... chose de tomates est vraiment... euh... mémorable.

– C'est bien ce que je croyais avoir entendu, a conclu papa qui n'a aucune envie de se mettre en pétard un dimanche matin.

Jean-C. arrive toujours bon dernier, les cheveux dressés sur le crâne comme si une bombe atomique était tombée sur son lit. Il s'assied en bâillant, claque une ou deux fois du bec et se rendort presque instantanément dans son bol de chocolat.

Il faut dire que Jean-C. est un peu somnambule.

Un matin, papa et maman l'ont trouvé endormi devant la porte de leur chambre, son cartable sur le dos et le gilet de sa panoplie de Josh Randall enfilé à l'envers par-dessus sa veste de pyjama.

Depuis ce jour, chaque fois que ma collec' de porte-clefs ou la montre étanche que j'ai reçue à Noël disparaissent dans les tiroirs de son bureau, Jean-C. prend l'air d'un grand blessé pour expliquer :

– C'est pas ma faute si je suis somnambule. J'ai dû te les piquer en dormant, sans m'en apercevoir.

Somnambule ou pas, comme il arrive toujours en dernier, c'est lui qui débarrasse la table tous les dimanches matin. Ça lui fait les pieds, à cette banane.

De toute façon, le petit déjeuner est vite expédié. Avec ce beau temps, pas question de s'éterniser à l'intérieur.

– J'ai une idée formidable, a dit papa, ce dimanche-là. Le musée de la Marine présente une passionnante exposition sur les maladies tropicales. Nous pourrions...

– Nous y sommes déjà allés dimanche dernier, chéri, a rappelé maman qui ne raffole pas des maladies tropicales.

– Tu es sûre, chérie ?

– C'est là qu'il y avait des photos géantes de lépreux ? a demandé Jean-C.

– Bon, a fait papa avec une moue de regret. Tant pis... J'ai une autre idée formidable. Que diriez-vous d'une longue promenade hygiénique jusqu'aux forts militaires du Faron ?

– Une promenade ? on a répété. Tu veux dire : à pied ?

Le mont Faron, c'est la montagne qui domine Toulon. On y était montés une fois, en téléphérique. Vu l'altitude, on en avait pour des heures à crapahuter en file indienne dans les ronces et les caillasses.

– Emportons un pique-nique, a continué papa avec entrain. Arrivés là-haut, on bivouaquera au grand air en étudiant de près ces remarquables spécimens de l'architecture militaire.

Au mot de « pique-nique », on s'est tous regardés d'un air catastrophé.

Déjà, on déteste manger des œufs durs et des sandwiches au pain de mie assis en tailleur sur une couverture, avec des aiguilles de pin qui nous transpercent le derrière. En plus, c'était fichu pour *La Séquence du spectateur*, une de nos émissions préférées. Elle passe à midi, tous les dimanches. Les gens téléphonent au standard pour choisir les films qu'ils veulent voir, et ils en passent les extraits les plus poilants. Comme on ne va presque jamais au cinéma, on ne raterait cette émission pour rien au monde.

– Pas question de s'abrutir devant la télévision par ce beau temps, a dit papa comme s'il avait lu dans nos pensées.

Il s'est tourné vers maman.

– Que penses-tu de ma merveilleuse idée, chérie ?

– Eh bien, a toussoté maman, si cela fait plaisir à tout le monde... Mais est-ce que Jean-E. et Jean-F. ne sont pas un peu petits pour...

– Au contraire, a expliqué papa. Il n'y a pas d'âge pour apprendre. Ce sera une journée saine et instructive. Quoi de mieux pour un dimanche ? N'est-ce pas, les gars ?

Le silence de mort qui a accueilli sa proposition l'a un peu douché.

– Sauf si vous préférez visiter l'École des enfants de troupe, bien sûr, il a ajouté en guise de plaisanterie.

Mais ça n'a fait rire personne.

– J'aimerais autant me casser le fémur, a grincé Jean-A. quand on s'est retrouvés dans la chambre pour se préparer.

– Tu l'as dit ! En plus, vu qu'on est les grands, je parie que c'est encore nous qui allons porter le pique-nique.

Le temps qu'on passe tous à la salle de bains et qu'on s'habille en traînant des pieds, le ciel s'était couvert méchamment.

Papa, équipé de ses chaussures de montagne, rongeait son frein en regardant les nuages qui s'accumulaient.

– J'ai bien peur que notre pique-nique ne tombe à l'eau, chérie, il a dit sombrement.

Quand la première goutte s'est écrasée sur la vitre, papa n'a pas perdu sa bonne humeur. De toute façon, personne n'était prêt.

– Changeons notre fusil d'épaule, il a dit. Le temps est trop incertain pour une promenade à pied. Si nous allions plutôt visiter les vestiges de cette charmante abbaye romane que les cousins Fougasse nous ont recommandée ?

Mais le temps de changer Jean-F., que personne ne surveillait et qui jouait à marquer des paniers dans la cuvette des toilettes avec des rouleaux de papier neufs, il tombait des cordes. Le ciel était noir, le tonnerre grondait. Impossible d'atteindre le garage sans se faire tremper comme des soupes.

La bonne humeur de papa tournait à l'orage, elle aussi. Il tirait nerveusement sur sa pipe éteinte en regardant le jardin noyé de pluie.

– Ça va se lever, chéri, a assuré maman. Nous sortirons plus tard. Si tu faisais réciter son latin à Jean-A. pendant que je prépare une collation dominicale ?

– Rien ne pourrait me faire plus plaisir, a grommelé papa.

On a mangé les sandwiches au pain de mie et les œufs durs à table, en regardant la pluie qui tombait sans finir. Pas de *Séquence du spectateur*, bien sûr : personne n'avait envie d'être expédié aux enfants de troupe juste pour avoir demandé d'allumer la télé, et papa n'avait pas vraiment l'air disposé à regarder des extraits de films poilants.

À cause de Jean-F., il a passé l'après-midi en salopette à déboucher les toilettes.

Papa est très fort en bricolage, mais là, il ne devait pas avoir les outils qu'il fallait parce qu'on l'entendait jurer derrière la porte et que, à la fin, c'est la chasse d'eau qui s'est mise à déborder.

– Quel est le tartempion de plombier de malheur qui m'a installé un matériel pareil ? il a rugi.

– Tout le monde aux abris, a déclaré Jean-C.

Quand papa bricole, il vaut mieux ne pas se trouver dans les parages. On est restés enfermés pendant deux heures dans nos chambres, à écouter la pluie ruisseler sur les vitres. Même Jean-A. n'avait pas le cœur à gratter sur sa guitare.

– Vous faites quoi ? a demandé Jean-C. en entrebâillant la porte.

– Rien, a répondu Jean-A.

– Nous non plus... On peut le faire avec vous ?

– Qu'est-ce que tu veux faire avec nous puisqu'on ne fait rien, banane ?

– On s'ennuie.

– Va te casser les pieds ailleurs, j'ai dit.

Jean-C. s'est replié dans ses quartiers sans protester. On se barbait tellement qu'on n'avait même pas le courage d'organiser une bonne bagarre générale.

– Faudrait supprimer les dimanches, a murmuré Jean-A. C'est trop démodé, comme jour.

J'ai hoché la tête.

– En plus, c'est la veille du lundi...

– Vivement demain matin ! a fait Jean-A.

– Tu rigoles ? On a lycée demain, je te signale. T'es pressé de retrouver Marie-Pierre ?

Il a ricané.

– Pauvre banane ! C'est de l'histoire ancienne, Marie-Pierre. Le prof a mis une autre fille à côté de moi.

– Pas de chance, j'ai dit. Et elle est comment, la nouvelle ?

Jean-A. a haussé les épaules avec indifférence.

– Véronique ? Potable. Enfin, pour ceux qui aiment les cheveux bouclés et les taches de rousseur... Mais ne va pas te faire des idées débiles, surtout : il n'y a que le latin entre nous.

– Bien sûr, j'ai fait. Tu me prends pour une banane ?

Vers cinq heures, maman est venue nous chercher.

C'était l'heure du film de l'après-midi. D'habitude, papa et maman ne veulent pas qu'on s'avachisse bêtement devant la télé, le dimanche. Mais là, c'était *Winchester 73*, un super western, la pluie tombait toujours et, avec papa qui avait fini de bricoler, maman a dû penser que c'était le bon moment pour lancer une activité familiale.

On en était juste au milieu du film, ça canardait dans tous les coins quand papa s'est rappelé qu'avec tout ça, on avait oublié la messe.

En fait, personne ne l'avait oubliée. On priait juste de toutes nos forces depuis le matin pour que lui ne s'en souvienne plus.

– Je crois que j'ai un peu de fièvre, a gémi Jean-C., qui a toujours les oreilles aussi écarlates que son chinchilla quand il regarde la télé.

– Il me reste un problème de robinet à finir pour demain, a prétendu Jean-D.

Pouet!...
Pouet!

Quant à Jean-E. et Jean-F., ils étaient trop petits pour ressortir si tard, a décidé maman.

C'est comme ça qu'on a filé à la messe de la paroisse, Jean-A., papa et moi, en tirant une tête de cent pieds de long, tandis que les moyens et les petits restaient bien au chaud à regarder crépiter la winchester 73 du héros et les bandits tomber comme des mouches dans le corral assiégé.

C'était vraiment le bouquet.

Mais au retour, on a quand même bien rigolé. Arrivé dans notre rue, papa nous a pris chacun à notre tour sur ses genoux et nous a laissé tenir le volant de la voiture pendant qu'il gardait le pied sur l'accélérateur.

On n'allait pas bien vite, parce que c'était la 2 CV marron glacé de maman, mais comme il ne pleuvait plus, papa avait enlevé la capote. Avec le vent de la course, on se serait cru Michel Vaillant bouclant à toute berzingue le dernier tour des Vingt-Quatre Heures du Mans.

Enfin, moi surtout, parce que Jean-A., avec ses binocles et les mèches grasses qui lui tombaient sur les yeux…

N'empêche, ça a été une super fin de dimanche.

Mon nom est B., Jean-B.

C'est moi qui avais vu l'affiche le premier, juste avant les vacances d'hiver. Le soir était tombé, je sortais du lycée et j'étais resté un long moment devant la vitrine éclairée du cinéma Vox, bouche bée, mon vélo à la main.

Les gens faisaient déjà la queue pour la première séance. Je devais avoir l'air complètement hypnotisé parce que la caissière, au guichet, me surveillait du coin de l'œil comme si j'avais eu un super pouvoir et que j'avais pu regarder le film gratis à travers les murs du cinéma.

Les diamants sont éternels... Le nouveau James Bond ! Rien que le titre était magique !

Je suis rentré dans un état second, mon vélo filant à une vitesse supersonique alors que j'effleurais à peine les pédales.

– Un nouveau James Bond ? a dit papa quand, hors d'haleine, je lui ai annoncé la grande nouvelle. Tiens donc.

Sa pipe au bec, il a versé une giclée d'eau gazeuse dans son whisky, sans plus d'émotion que le chef des services secrets anglais quand il apprend que le monde est menacé de destruction intégrale.

Il s'est tourné vers maman.

– Après tout, pourquoi n'y emmènerions-nous pas les grands pendant les vacances, chérie ? il a dit, avant d'ajouter, en envoyant vers elle de petits signaux de fumée codés : S'ils ont été sages, bien sûr...

Jean-C. a manqué en tomber du fauteuil qu'il partageait avec Jean-D.

– Quoi ? Juste les grands ? Et moi alors ?

– C'est vrai, a renchéri Jean-D. Et nous alors ?

– Moi aussi, ze veux aller voir Zames Bond si ze suis saze ! a zozoté Jean-E.

– Mon nom est Pond, James Pond ! a postillonné Jean-F. en mettant tout le monde en joue avec sa cuillère de compote.

Papa a secoué la tête.

– Pas question. Vous êtes encore trop petits.

– Je suis le plus grand des moyens ! s'est défendu Jean-C.

– Et moi, ze suis le plus grand des petits ! a zozoté Jean-E.

Ils s'apprêtaient à défendre chèrement leur peau, mais maman y a mis le holà.

– Votre père a raison, elle a déclaré. Ce genre de spectacle ne convient pas à des enfants de votre âge.

– Et pourquoi ? s'est offusqué Jean-C.

– Eh bien, parce que... parce qu'il y a des scènes de violence qui peuvent vous impressionner...

– Et des jeunes femmes... euh... en maillots de bain très courts, voilà, a complété papa avant de reporter son attention sur Jean-F. en ouvrant des yeux ronds. Mais au fait, chérie, comment notre petit dernier connaît-il par cœur les répliques de ce genre de films ?

– Aucune idée, chéri, a dit maman en regardant à son tour Jean-F. avec effroi.

– James P-ond ! a postillonné Jean-F. à travers sa compote. *Pif ! paf !* Prends ça dans la figure, chacal !

Le soir, pour avoir la paix, maman fait manger Jean-F. avant tout le monde. Mais là, avec ses imitations à la noix, il risquait de tout faire rater.

– Je ne suis plus très sûre que ce soit une si bonne idée que ça d'emmener les enfants voir ce film, a dit maman d'un air catastrophé en lui essuyant la bouche.

– J'ai presque douze ans ! j'ai dit. Et puis papa a promis...

Jean-A., lui, semblait se moquer totalement d'aller voir ou pas le nouveau James Bond. Il se contentait de soupirer en nous regardant, comme si on avait été de misérables têtards s'agitant dans un bocal.

– Eh bien, nous verrons, a éludé papa. Tout dépendra de votre comportement durant les vacances...

Ça n'a pas manqué.

La première semaine de vacances est passée, puis la deuxième, et on n'est pas allés au cinéma. « On verra », disait papa chaque jour, et on a vite compris que ça voulait dire qu'on ne verrait rien du tout.

Chaque matin, avec Jean-C., on ouvrait mon cahier d'agent secret. J'y avais collé une reproduction de l'affiche, au milieu de mes plans de prototypes et de mes meilleures techniques de prises paralysantes.

– Ne pose pas tes doigts gras dessus, j'avais prévenu.

L'affiche des *Diamants sont éternels* occupait toute une page. James Bond se tient debout dans une sorte de pince articulée, son Walther PPK à la main, au-dessus d'une base secrète en train d'exploser. Avec lui, il y a deux femmes qui répandent dans l'espace des poignées de diamants et, tout autour, des hélicoptères et des nageurs de combat qui se canardent à qui mieux mieux.

– Ça a l'air trop bien ! soupirait Jean-C. Tu crois que les deux femmes sont des méchantes ?

Comme Jean-C. n'est qu'un moyen, il ne connaît rien à la vie des agents secrets.

– Bien sûr, banane. Sinon, elles ne porteraient pas des maillots de bain si courts alors que James Bond est en smoking.

– Mince alors ! il disait. T'as raison. Ça a vraiment l'air trop bien !

Tout est la faute de Jean-C.

De papa et maman aussi, qui n'avaient qu'à tenir leur promesse.

Le premier mercredi après la rentrée, Jean-C. m'a pris à part.

– Tous mes copains y sont allés pendant les vacances.

– Les miens aussi, j'ai dit avec accablement.

– J'en ai marre d'être la seule banane de ma classe. Puisque papa et maman ne veulent pas nous emmener, j'y vais sans eux, il a décrété.

– T'es malade ? Et si tu te fais prendre ? D'abord, la caissière du cinéma ne laissera jamais entrer un moyen.

– On n'aura qu'à dire qu'on retrouve nos parents qui sont déjà à l'intérieur, il a proposé en sortant de leur enveloppe les sous que papy Jean et mamie Jeannette nous avaient envoyés pour Noël.

– « On » ? j'ai répété. Parce que tu crois que je vais t'accompagner ?

Il a ricané en glissant l'argent dans sa poche.

– Je parie que t'es pas chiche, il a fait.

Je n'ai pas hésité longtemps. L'attente et la déception m'avaient gâché les fêtes de Noël. En plus, si je voulais devenir espion, il fallait que je m'entraîne à exécuter des missions secrètes. Comment récupérer une tête nucléaire dérobée par les Russes ou retrouver un sous-marin échoué par cent mètres de fond dans une fosse infestée de requins si je n'étais même pas capable d'aller voir en douce avec Jean-C. *Les diamants sont éternels* ?

– Vous allez où ? a demandé Jean-A. en nous voyant filer tous les deux.

– Dans la colline, on a fait.

Un instant, j'ai failli lui proposer de nous accompagner. Jean-A. adorait les James Bond autrefois, avant sa poussée de croissance.

– Pauvres bananes ! il a ricané. À votre âge, vous jouez encore aux cow-boys et aux Indiens ?

Tant pis pour lui, j'ai pensé, avant de filer avec Jean-C.

Le film était encore mille fois mieux que ce qu'on avait imaginé.

Quand on en est sortis, on n'a pas pu parler pendant de longues minutes, Jean-C. et moi. Il avait les oreilles plus cramoisies qu'après une journée entière devant la télévision. J'étais dans un drôle d'état, moi aussi, ébloui et un peu triste en même temps, comme quand il vient de vous arriver quelque chose d'extraordinaire dont on sait qu'il ne se reproduira plus.

On est restés un moment plantés devant le cinéma, incapables de partir, puis on a couru comme des dératés jusqu'à la maison, avec l'impression d'avoir la cervelle traversée par des rafales de mitraillettes automatiques et des explosions de grenades aveuglantes.

– Qu'est-ce qui t'arrive ? m'a demandé Jean-A. T'es tombé amoureux ou quoi ?

– Occupe-toi de tes oignons, j'ai dit.

J'étais complètement tourneboulé, en fait, comme après un rêve dont on n'a pas envie de se réveiller. J'allais devoir attendre tellement longtemps avant que ma vie devienne aussi passionnante que celle de James Bond !

En tout cas, on avait bien réussi notre coup, Jean-C. et moi. Pendant que papa et maman nous croyaient dans la colline, on se goinfrait d'esquimaux au

premier rang, les yeux écarquillés, en regardant 007 s'évader du quartier général des méchants à bord d'un module lunaire motorisé.

J'avais quand même un peu mauvaise conscience de les avoir trompés aussi facilement. Depuis qu'on était allés en cachette voir le cirque Pipolo, Jean-A., Jean-C. et moi, l'été dernier, c'était la première fois que je leur racontais des histoires pour sortir sans permission.

Mais le mensonge est le prix à payer quand on veut devenir agent secret. Il faut faire croire aux autres qu'on a une vie absolument normale. Personne ne doit savoir qui vous êtes réellement, pas même vos frères ni vos parents, sinon on risque de les torturer avec un luxe de raffinement incroyable pour leur faire avouer vos véritables activités.

Je n'ai pas fait long feu ce soir-là. Dans mon cahier d'agent secret, j'avais collé d'autres affiches de films de James Bond, aux titres plus excitants les uns que les autres : *James Bond contre docteur No... Opération Tonnerre... On ne vit que deux fois...* Je les ai passés et repassés dans ma tête jusqu'à tomber dans le sommeil comme une bûche.

Le lendemain, à la récré, j'avais l'impression d'être un héros revenu d'une mission ultradangereuse. Avec mes copains, on a dû se raconter le film au moins six cents fois.

Mais quand papa est rentré à la maison, ce soir-là, on a tout de suite su que ça allait barder pour nos matricules, Jean-C. et moi.

– Au salon, et que ça saute ! il a ordonné entre ses dents en nous tirant de nos devoirs.

– J'ai une division super dure à finir... a bien essayé Jean-C.

Mais au regard que lui a lancé papa, il a vite compris que ses problèmes de retenues attendraient.

Quand on s'est retrouvés tous les trois au salon, la porte fermée, avec papa qui se mordillait l'intérieur de la joue, les sourcils froncés par la colère :

– L'un d'entre vous, messieurs, aurait-il l'extrême obligeance de m'expliquer ce que sont ces… choses ? il a demandé.

Quand papa nous appelle « messieurs », ça n'est jamais bon signe.

En découvrant ce qu'il brandissait, mon cœur s'est arrêté d'un coup. Les tickets de cinéma ! Je les avais laissés dans la poche de mon pantalon, où maman avait dû les trouver en l'enfournant dans la machine à laver.

Je faisais vraiment un fier agent secret ! C'est la règle n° 1, pour tout espion en opération : ne jamais laisser derrière soi d'indices compromettants.

– Eh bien ? a dit papa.

– De vulgaires confettis ? a proposé Jean-C.

– Pas exactement, a fait papa. Ces « confettis », comme tu dis, sont d'authentiques tickets de cinéma. Délivrés hier après-midi par le cinéma Vox pour la projection du dernier James Bond.

– C'est pas à nous, alors, a affirmé Jean-C. À cette heure-là, on était dans la colline.

Papa s'est pincé l'arête du nez avec une grimace de souffrance, comme quand on s'est glacé les sinus en avalant trop vite une cuillère de sorbet.

– Dans la colline ? il a répété, la voix enflant dangereusement. Tiens donc… Et par quel tour de passe-passe ces tickets de cinéma ont-ils atterri DANS VOS POCHES, MESSIEURS ?

Jean-C. s'est tourné vers moi.

– Quelqu'un a dû nous faire une blague, tu crois pas, Jean-B. ? Je vois pas d'autre explication.

Papa a poussé une sorte de mugissement.

– EST-CE QUE VOUS ME PRENEZ TOUS LES DEUX POUR UN IMBÉCILE ?

On a passé un sale quart d'heure. C'est surtout moi qui ai pris, en fait. Parce que je suis le plus grand.

Plus papa criait et plus Jean-C. se décomposait.

– Je voulais pas y aller ! il a gémi. Je suis trop jeune et trop impressionnable pour ces films de violence. C'est Jean-B. qui m'a forcé !

– Quoi ? j'ai fait. Espèce de menteur ! C'est toi qui…

– SILENCE ! a ordonné papa. Je ne veux rien savoir de plus. Vous serez punis l'un comme l'autre. Pour commencer, interdiction formelle de retourner dans la colline jusqu'à nouvel ordre. Jean-C., tu seras de corvée de débarrassage de table jusqu'aux prochaines vacances. Quant à toi, Jean-B…

J'ai rentré les épaules, m'attendant au pire.

Mais j'étais bien en dessous de la réalité.

– … je t'inscris séance tenante aux scouts marins, a poursuivi papa. Tu y apprendras la discipline et le sens des responsabilités !

J'ai voulu dire quelque chose, mais aucun mot n'est sorti de ma gorge.

– C'est tout, messieurs, a conclu papa en nous montrant la porte. Disparaissez dans vos quartiers jusqu'au dîner, et que ça saute !

On est sortis la tête basse en évitant de se regarder, Jean-C. et moi.

Les scouts marins ! J'étais anéanti.

Mon nom est B., Jean-B., et le ciel venait de me tomber sur la tête.

Les scouts marins

Papa adore les scouts marins.

Quand il était jeune médecin, il aurait voulu embarquer sur un bateau, naviguer sur toutes les mers du globe et soigner les maladies tropicales dont on avait vu les photos au musée de la Marine, quelques dimanches plus tôt.

Et puis il a rencontré maman. Comme il n'y a pas de place pour six garçons dans la cabine d'un navire de guerre, papa est resté à terre. À part un canoë gonflable à boudins, il n'a jamais eu de bateau non plus, mais il aurait adoré faire de nous une famille de marins. Quand il rentre à la maison le soir, je suis sûr qu'il nous imagine tous au garde-à-vous sur le pont, en uniformes de matelots bien repassés, tandis qu'il grimpe à bord d'un pas leste en lâchant de petits nuages de fumée avec sa pipe.

Pas de chance pour lui, on a tous le mal de mer.

L'été dernier, à la plage des Roches Rouges, on l'avait tanné pour louer un pédalo mais ça avait mal fini : on s'était disputés comme des chiffonniers pour tenir le gouvernail, puis on avait tous eu envie de vomir l'un après l'autre et papa s'était retrouvé à pédaler tout seul, soufflant et râlant comme s'il ramenait vers le rivage un radeau rempli de naufragés.

– Bonne promenade ? avait demandé maman en nous voyant débarquer.

Papa avait levé les bras au ciel.

– Qui m'a donné un équipage pareil ? Six garçons et pas un qui ait le pied marin ! C'est décidé : à la rentrée prochaine, je les inscris tous aux scouts de mer !

Personne n'avait vraiment cru à sa menace. Papa se met en colère au quart de tour mais il oublie encore plus vite.

Sauf cette fois, et c'était moi qui allais écoper pour tout le monde.

– Est-ce que ce n'est pas une punition un peu

sévère, chéri ? m'avait défendu maman, qui déteste les bateaux presque autant que nous.

Papa avait tenu bon.

– Rien de mieux que l'air du large et la fréquentation des gens de mer pour forger un caractère. Tu verras, chérie, cela fera le plus grand bien à notre Jean-B.

Les scouts marins, c'est une sorte d'école de voile dans laquelle on porte un béret, un foulard autour du cou et d'horribles pulls en laine aussi rêches que du cordage.

Quand Jean-A. m'a vu la première fois en uniforme de scout marin, il s'est roulé sur le carrelage comme s'il avait eu des convulsions.

– Tu vas où avec cette bouse de vache sur la tête ? il a dit quand il a pu reprendre sa respiration.

Je me suis regardé dans la glace. Il n'avait pas tort. Pas facile de porter un béret quand on a, comme nous les Jean, les oreilles salement décollées. Surtout avec un short et des chaussettes montantes bleu marine.

J'ai filé vers le port en rasant les murs, le béret fourré dans la poche, en priant le ciel de ne pas croiser un copain.

J'avais toute la ville à traverser et, le temps que je trouve le quai où était amarré notre bateau école, les gars de ma meute étaient déjà à bord.

Le chef scout avait l'air en rogne.

– Détache le bout et grimpe, Calamar ! il a lancé.

– Le bout ? j'ai répété. Le bout de quoi ?

Les autres se sont mis à ricaner comme si j'avais été un débile mental.

– Le bout d'amarrage ! La corde, quoi ! s'est impatienté le chef scout. Tu retardes tout le monde, Calamar !

Je me suis dépêché d'obéir. Mais quand j'ai voulu monter, la caravelle s'est brusquement écartée du quai et je suis tombé à l'eau, me raccrochant comme je pouvais au bateau qui s'est mis à tanguer méchamment, menaçant de précipiter tout le monde pardessus bord.

J'avais vraiment réussi mon entrée. Les gars de la meute s'esclaffaient et sifflaient, me laissant barboter dans une eau si froide que j'avais l'impression d'être pris jusqu'à la taille entre les dents d'un piège à loup.

– Donne ta main, m'a fait une voix charitable.

J'ai attrapé celle qu'on me tendait et me suis hissé péniblement à bord. J'étais trempé, grelottant, et je ne m'étais jamais senti aussi humilié de toute ma vie.

– Merci, j'ai bredouillé.

– De rien, a fait mon sauveur. Première fois aux scouts marins ?

– Oui, j'ai avoué.

– Ça se voit, il a fait.

Mais il n'y avait pas de moquerie dans sa voix. Il était plutôt frêle, la capuche de son ciré rabattu sur la tête. J'ai essoré mon béret et me le suis enfoncé jusqu'aux yeux. Si seulement j'avais pu disparaître dessous, comme un lapin dans le chapeau d'un magicien !

Je ne me rappelle pas grand-chose de cette première sortie.

On était tassés comme des sardines, un gilet de

sauvetage orange sur le dos, avec le chef scout qui gesticulait en nous expliquant comment manier le foc ou la grand-voile. Chaque fois qu'on virait de bord, il fallait s'écraser au fond du bateau pour éviter de se faire déquiller par la bôme.

On a dû quitter la rade parce que, à un moment, la mer s'est mise à s'agiter. La caravelle avait au moins deux tonnes de coquillages accrochés sous la coque. On se traînait, face au vent, le cœur au bord des lèvres chaque fois qu'une vague plus grosse soulevait la proue.

– Regarde ! m'a fait soudain mon voisin en me collant son coude dans les côtes.

On avait fait demi-tour et on repassait les balises marquant l'entrée du port. Une longue forme sombre et luisante était apparue à tribord. Une sorte d'étui à cigare métallique, surmonté d'un aileron, qui nous a doublés sans bruit, fendant l'eau grise au ras des flots.

J'en ai eu le souffle coupé.

– Un sous-marin !

– Il en passe souvent à cette heure-ci. C'est le moment où ils rentrent de manœuvre.

On l'a regardé s'éloigner dans le soir qui tombait.

– J'en avais jamais vu en vrai, j'ai avoué quand il a disparu complètement.

– Tu t'appelles vraiment Calamar ?

– C'est pas mon nom, j'ai dit. C'est juste mon totem. Et le tien, c'est quoi ?
– J'en ai pas.
– T'es scout et tu n'as pas de totem ?
– Je suis pas scout. Je suis jeannette.
– Jeannette ? j'ai répété. Mais alors, tu es une fille ?
Je devais avoir l'air stupide parce qu'elle a ri.
– Ça se voit pas ? elle a dit en ôtant sa capuche.
Ça ne se voyait pas tellement, en fait. Elle avait des cheveux courts tout ébouriffés, un petit menton volontaire et des joues piquetées de minuscules taches de rousseur.
– Qu'est-ce que tu fais chez les scouts, alors ? j'ai demandé quand je suis revenu de ma surprise.
– Y a pas de jeannettes de mer à Toulon. Mon père a eu une autorisation spéciale pour que je sois intégrée dans une meute de garçons.
Je n'en croyais pas mes oreilles.
– T'es volontaire pour être scout marin ?
– Bien sûr, elle a fait. J'adore naviguer. Plus tard, je serai commandant de sous-marin.
– Sans rire ? j'ai dit. Ils prennent des filles ?
Elle a eu à nouveau son petit rire cristallin.
– Qu'est-ce que tu crois !
– Tu lanceras des torpilles et tout ?
Elle a haussé les épaules, examinant ses mains entre ses genoux.

– J'espère pas. Seulement si je suis obligée. Mon rêve, ça serait de plonger sous la banquise. Le seul truc que je ne sais pas, c'est si je pourrais y emmener mon chat.

– Je croyais que les chats n'aimaient pas l'eau.

– Le mien si. Il boit même au robinet.

Pour une fille, c'était une drôle de fille. Bizarrement, je n'étais pas du tout intimidé de parler avec elle.

Les autres, trop occupés à se chamailler pour tenir la barre ou border les voiles, ne faisaient pas attention à nous.

– J'ai eu un chat, moi aussi, j'ai dit. Un petit chat de gouttière qui s'appelait Diabolo.

– C'est un joli nom, elle a dit.

– Tu trouves ? Ça fait penser à « diablotin ».

– Ou bien à diabolo menthe… Tu l'as plus ?

– Il est mort, j'ai expliqué.

– Zut, elle a murmuré. Qu'est-ce qu'il lui est arrivé ?

– Le typhus. Il était tout petit.

– C'est moche...

Elle ne connaissait pas Diabolo mais elle avait l'air sincèrement peinée pour moi. Elle m'a posé des tas de questions pour savoir comment il était, puis on a parlé de son chat à elle, un gros matou nommé Pouchkine.

– Si gros que ça ? j'ai plaisanté. Tu vas avoir du

mal à le cacher dans ta cabine, alors, quand tu seras commandant de sous-marin.

– Remarque, elle a dit, ça peut être utile à bord, un matou comme Pouchkine. Surtout s'il y a des souris qui rongent les circuits électriques des torpilles.

– En plus, ça ne consomme pas beaucoup d'air, un chat.

– Et toi, elle a demandé, tu veux faire quoi plus tard ?

– Je ne sais pas encore, j'ai dit. Agent secret ou écrivain.

Elle a paru réfléchir un moment.

– Le deux sont bien, elle a dit finalement. Et pourquoi tu n'écrirais pas des histoires d'agents secrets ? Comme ça, tu n'aurais pas besoin de choisir.

– J'en écris déjà, j'ai dit. Enfin, j'ai commencé...

On a continué jusqu'au retour au port sans rien écouter de ce qu'expliquait le chef scout. Mais quand il a fallu accoster, c'est à elle qu'il a confié la manœuvre. Elle a pris la barre et, en deux temps trois mouvements, elle a rangé la caravelle le long du quai sans même toucher les bouées de protection.

J'ai sifflé entre mes dents.

– Pour une jeannette, t'es un vrai loup de mer !

Elle a eu une petite grimace méprisante.

– C'était fastoche. Même pour ces crétins, elle a ajouté pendant que les autres se dispersaient en se bombardant avec leurs bérets comme des malades.

Ce n'est qu'en sautant à mon tour sur le quai que je me suis aperçu que je tremblais de froid dans mon uniforme trempé.

Le lendemain, j'avais quarante de fièvre.

Je suis resté au lit toute la semaine.

– Rien de mieux que l'air du large, disais-tu, chéri ? a ironisé maman.

Papa est très fort comme médecin.

– Un simple rhume, c'est tout, il a diagnostiqué en me tendant un cachet et un verre d'eau sucrée. Avec ça, notre Jean-B. sera prêt à reprendre la mer en un rien de temps.

J'avais la tête en coton, mal partout, même à des muscles que j'ignorais avoir. Mais j'en ai rajouté un peu, histoire de me faire plaindre et de passer pour la victime d'une punition injuste.

– Bizarre, la fièvre ne baisse pas, s'étonnait papa chaque matin, quand je lui rendais le thermomètre que j'avais chauffé en douce sur le radiateur.

À mesure que les jours passaient, il avait l'air de moins en moins fier de m'avoir expédié aux scouts marins.

Vu mon état, pas question que j'aille en classe. Le matin, je restais couché pendant que les autres se bagarraient en râlant dans la salle de bains. Maman m'apportait un plateau au lit, puis tout le monde partait et je me rendormais avec délices dans la maison silencieuse.

Le reste de la journée, je relisais ma collec' de Club des Cinq. Ce n'était plus trop de mon âge, mais j'avais fini tous les Bob Morane de la bibliothèque municipale.

Mon personnage préféré de la série, c'est Mick, le second. Il est téméraire et n'en fait qu'à sa tête, exactement comme moi, alors que François, l'aîné, est aussi casse-pieds que Jean-A., même s'il n'a pas de lunettes.

J'aime bien Annie, aussi. Comme toutes les filles, elle est fragile, trouillarde et se met toujours dans de sales draps. Forcément, avec ses cris de souris, elle énerve Claude, l'autre fille, qui est un vrai garçon manqué. Mais moi, au contraire, ça me donne envie de la protéger, de voler à son secours chaque fois qu'elle est kidnappée par une bande de redoutables trafiquants ou tombée dans les oubliettes d'un château en ruine.

En fait, j'aurais adoré avoir une sœur comme Annie. Comme on est six frères, il n'y a pas de filles à la maison, à part maman, bien sûr. Il n'y en a pas dans nos classes non plus, vu qu'on n'est pas dans des établissements mixtes, sauf Jean-A. qui n'a pas l'air de s'en sortir très bien : à cause de sa poussée de croissance, il tombe raide dingue de toutes ses copines de classe.

Moi, comme je ne fais pas de latin, aucun risque que ça m'arrive. Au pire, ça serait d'une fille comme Annie. Le genre sage, avec des cheveux mi-longs retenus par une barrette.

Quelquefois, je me demande à quoi aurait ressemblé notre famille si papa et maman n'avaient eu que des filles.

C'est papa qui n'aurait pas été à la fête. Impossible de menacer des filles de les inscrire aux scouts marins, ni de leur faire visiter le dimanche les navires de guerre qui font escale dans le port de Toulon. Déjà qu'on traîne dans la salle de bains le matin pour faire semblant de prendre nos douches et de nous brosser les dents, il serait devenu fou avec six filles coquettes qui se lavent *vraiment* et qui passent leur journée devant la glace à se coiffer et à faire des mines.

Même maman n'a pas l'air tentée. Elle dit souvent qu'élever six garçons est un jeu d'enfant, qu'il suffit d'être très calme et très organisée. Est-ce qu'elle aurait été assez calme et assez organisée pour élever six sœurs Dalton ?

Le samedi suivant, j'étais en pleine forme.

– Pas question que tu ailles aux scouts marins dès aujourd'hui, a dit papa, catégorique. Tu es encore trop faible.

– L'air du large va me forger le caractère ! j'ai protesté. Et puis, une punition est une punition. Je l'ai bien méritée !

Rien à faire. J'ai dû attendre une longue semaine pour retourner au port. Mais à peine arrivé, j'ai regretté d'être là.

« Des nouvelles de notre jeannette ? » a demandé le chef scout en faisant l'appel. « Non, non », ont ricané les autres. Comme il pleuvait, on n'est pas sortis en mer. On a passé l'après-midi dans le petit local de la meute, à faire des nœuds d'amarrage impossibles et à se cracher dessus dès que le chef de meute avait le dos tourné.

– T'en fais, une tête ! Tu t'es disputé avec tes

copains ? m'a demandé Jean-A. quand il m'a vu rentrer, la mine sombre et le béret dégoulinant de pluie.

– J'ai pas de copains aux scouts, j'ai dit. Occupe-toi plutôt de ta guitare pourrie.

– T'en veux un coup sur la caboche ?

– Essaye un peu pour voir.

Pour un après-midi raté, c'était un après-midi raté.

Mais ce qui me rendait le plus furieux, c'était d'avoir tellement attendu ce moment. Est-ce que je n'avais pas des milliards d'autres choses plus intéressantes à faire ?

– M'en fous, j'ai pensé. Ils peuvent toujours s'accrocher : samedi prochain, j'irai pas !

La semaine d'après, j'ai failli ne pas la reconnaître. Elle n'avait plus son ciré mais un gros pull bardé d'écussons et un pantalon de velours retroussé sur les chevilles. Jamais je n'aurais pensé qu'un béret scout pouvait aller à quelqu'un : elle le portait relevé en arrière, pas écrasé sur la tête, comme nous, ce qui arrondissait son visage et soulignait les taches de rousseur sur ses joues.

– Salut, elle a dit.

– T'étais pas là la semaine dernière ? j'ai demandé bêtement, alors que je connaissais la réponse.

Elle a fait la grimace.

– Ma mère… Elle m'a inscrite de force à un concours de piano.

– La vache ! j'ai dit. Moi, c'est mon père qui m'a inscrit de force ici.

– T'es obligé de venir tous les samedis, alors ?

– J'ai pas le choix.

– C'est dur, elle a dit, avant de tirer une photo de sa poche. Tiens, j'ai quelque chose à te montrer.

– C'est qui ?

– Pouchkine. Mon chat.

Je l'ai regardé un moment avant de réaliser qu'il ne me restait même pas une photo de Diabolo. J'en avais pris quelques-unes avec l'appareil de papa, mais Jean-F. avait ouvert le boîtier pour s'amuser et toute la pellicule avait été fichue.

– Il a l'air doux, j'ai dit en hochant la tête. C'est normal qu'il ait les yeux fermés ?

– C'est le flash, elle a expliqué. En fait, il est nyctalope. Tu sais ce que ça veut dire ?

– Oui. Qu'il peut voir la nuit. Comme Bob Morane.

Elle a rempoché sa photo parce que le chef scout nous appelait pour former l'équipage.

On s'est retrouvés séparés aux deux bouts du bateau. Comme il soufflait un mistral force 4, la caravelle filait toutes voiles dehors et on n'était pas trop de dix à tirer sur les écoutes. À chaque bord, on prenait des paquets d'écume dans la figure, mais elle n'avait pas l'air de s'en apercevoir. Les yeux plissés par la concentration, elle tenait la barre, retenant son béret de l'autre main pour ne pas qu'il s'envole.

Mon rôle à moi, c'était juste de me pencher en arrière avec les autres quand le voilier gîtait trop. Mais quand on est rentrés au port, j'avais l'impression qu'on venait tous les deux d'arracher à la tempête un navire en détresse.

– Pour notre jeannette, hip hip hip ! hourra ! a lancé le chef scout au moment de débarquer.

– Hip hip hip ! hourra ! on a tous crié en chœur.

J'ai fait un bout de chemin avec elle pour rentrer.

– Tu vas pas t'y mettre, toi aussi, elle a pesté.

– Moi ? Qu'est-ce que j'ai fait ?

– Ce ban ridicule, tout à l'heure... Ces crétins

vont m'applaudir chaque fois que je fais quelque chose simplement parce que je suis une fille ?

– J'ai pas de sœur, j'ai dit en matière d'excuse. J'ai pas l'habitude de ce qu'il faut faire.

– T'es fils unique ?

– Non, j'ai cinq frères.

Elle a sifflé entre ses dents.

– C'est pas de chance.

– Tu l'as dit…

On a continué un moment en silence. J'avais mon vélo à la main mais je n'étais pas pressé de sauter dessus.

– Tu lis quoi ? elle a demandé à un moment en montrant le bouquin qui dépassait de ma poche.

J'ai eu un petit rire désinvolte.

– Ça ? Oh ! un vieux Club des Cinq de mes frères.

Je n'avais aucune envie qu'elle me prenne pour une banane.

– J'adore ! elle a dit au contraire. C'est lequel ?

Je le lui ai montré. *Le Club des Cinq et le trésor de l'île*, que j'avais dû dévorer au moins douze fois.

– Moi aussi, elle a dit. Et c'est qui, ton personnage préféré de la bande ?

– Mick. À part Dagobert, bien sûr.

– J'en étais sûre. Moi, c'est Claude ma préférée. Je rêverais d'avoir une île déserte comme elle, juste en face de ma maison.

Hélène

– Et Annie ? j'ai demandé, mine de rien. Tu la trouves comment ?

Elle a eu une drôle de petite moue.

– Une cruche. Je déteste les filles qui pleurnichent sans arrêt.

– Moi aussi, j'ai dit, avant d'ajouter, histoire de changer de sujet : Au fait, c'est quoi ton prénom ?

– Hélène. Et le tien ?

– Jean-B.

– C'est mieux que Calamar, elle a remarqué en riant.

– Tu l'as dit.

On était arrivés près de la gare. C'était là que nos chemins se séparaient et on a filé chacun de notre côté sans se retourner.

– C'est qui, Hélène ? m'a demandé Jean-C. un matin.

– Qui ça ? j'ai grincé en entrouvrant péniblement les paupières.

Jean-A. a ricané avant de sauter à pieds joints depuis le lit du haut.

– Ne fais pas ton innocent. T'as répété son nom plusieurs centaines de fois cette nuit dans ton sommeil.

J'ai plongé sous les draps pour éviter la chaussette sale qu'il me lançait.

Hélène?...

– Hélèèène, Hélèèène ! il a bêlé en se trémoussant sur la descente de lit. Allez, raconte, c'est qui ?

– Personne, j'ai marmonné, avant de lui expédier mon polochon en plein dans la figure.

– Et ça ? il a demandé en me collant mon cahier de textes sous le nez. « LN, LN... » C'est un message codé, peut-être ?

– Repose ça ou t'es mort, j'ai fait.

– Essaye un peu pour voir.

Il a balancé mon cahier de textes avec sa couverture gribouillée sur le bureau avant d'ajouter :

– Tu serais pas en train de faire une poussée de croissance, toi aussi ?

– Je grandis, nuance, j'ai grommelé. Ça n'a rien à voir ! En plus, j'ai pas de leçon à recevoir d'un âge-bêteux.

– Pauvre banane, a ricané Jean-A. Moi, au moins, je rêve pas des filles à haute voix.

Ça a été un drôle de trimestre.

Depuis le retour des vacances de Noël, j'avais pris près de dix centimètres. En classe, maintenant, je dépassais presque tout le monde. Même les profs l'avaient remarqué. Impossible de me cacher quand je rêvassais pendant les cours ou que je griffonnais dans mon cahier de brouillon au lieu d'écouter. Ça ne ratait pas, je me faisais prendre à chaque fois.

– Pouvez-vous m'expliquer ce que c'est que ÇA, jeune homme ? a demandé le prof de français, un jour qu'on préparait d'arrache-pied le prochain contrôle de grammaire.

J'étais tellement absorbé par mon travail que je ne l'avais même pas entendu venir. Il a attrapé ma feuille et l'a montrée à toute la classe.

– Euh... un plan de sous-marin, m'sieur, j'ai bredouillé.

– Tiens donc. Et cette chose, là, sur la couchette ?

– C'est Pouch... euh... juste un chat, m'sieur.

– Un chat, dans un sous-marin, a répété rêveusement le prof. Vous vous destinez à une carrière de peintre abstrait, Jean-B. ?

– Non, m'sieur...

– Eh bien, pour votre peine, vous me copierez cinq cents fois pour demain : « Il eût été préférable que je révisasse et que j'apprisse mes leçons de conjugaison. » Avec signature des parents, bien entendu...

Ce soir-là, ça a bardé pour mon matricule.

– Qui m'a donné des grands pareils ? s'est emporté papa. Nous n'allons tout de même pas avoir deux adolescents dans la famille !

– J'ai bien peur que si, chéri, a soupiré maman.

– Je te préviens, Jean-B., a menacé papa. S'il est impossible d'obtenir de toi que tu révisasses et que tu apprisses, eh bien... je te désinscris séance tenante des scouts marins !

La menace m'a fait froid dans le dos et je me suis remis à travailler. Mes notes ont remonté rapidement mais le cœur n'y était pas.

Dans la cour, ceux de ma classe continuaient à se montrer leur collec' de porte-clefs, à faire des pronostics pour les soirées du championnat et à se mettre des peignées à la moindre occasion.

– Tu viens, Jean-B. ? ils me demandaient. Qu'est-ce que tu fiches tout seul ?

– Bof ! je disais.

Même aller dans la colline avec Grandrégis pour tirer des péno comme des malades ne me disait plus rien.

– On se fait une partie de Risk ? proposait Jean-C. le mercredi aprèm', quand il traînait de chambre en chambre en cherchant quelqu'un à embêter.

– ...

– Si on prenait ta descente de lit comme tatami et que je te montrais mes dernières prises de judo imparables ?

– ...

– On fait quoi alors ?

– Bof.

Jean-C. repartait en tempêtant dans la maison :

– Ça sert à quoi d'avoir des frères aînés si on peut jamais rien faire avec eux ?

– C'est l'âge bête, soupirait maman.

L'âge bête, moi ? Et puis quoi encore ! Personne ne me comprenait dans cette famille. Je n'avais envie de rien, c'est tout.

Jean-A., au moins, avait sa guitare pourrie. Un copain lui avait refilé un pantalon avec des franges, genre Davy Crockett. Papa et maman auraient fait une attaque s'ils l'avaient vu dedans. Alors il l'enfilait en cachette et se plantait devant le miroir de la chambre avec sa guitare en faisant semblant de chanter en play-back.

Le soir, on faisait nos devoirs côte à côte tous les deux, comme autrefois. Sauf qu'on entassait des piles de livres entre nous pour que l'autre ne voie pas ce qu'on faisait.

– Tu recopies les préparations de latin que te filent tes copines ? je ricanais.

– Je parle pas aux scouts marins, grinçait Jean-A. Si tu mangeais plutôt ton béret ?

La vérité, c'est que je n'étais pas préparé du tout à avoir une fille pour meilleur copain.

Quand on se retrouvait au local scout, le samedi, on se disait à peine « Salut » et on passait l'après-midi chacun de notre côté sans plus s'adresser la parole. Les autres n'auraient pas compris que je sois copain avec la seule jeannette de la meute. Comme elle était mille fois meilleur marin qu'eux, ils n'arrêtaient pas de rigoler bêtement et de devenir écarlates quand le chef scout les mettait en binôme avec elle.

– Tu comprends pourquoi je rêve d'avoir une île déserte comme Claude ? elle soupirait. Je pourrais sauter dans un bateau quand je voudrais et planter là tous ces crétins...

– ... Et moi, mes frères ! je soupirais à mon tour, avant de me demander si je faisais partie, avec Pouchkine, de ceux qu'elle aurait emmenés sur son île.

Quelquefois, je la ramenais à vélo. C'était facile, elle ne pesait presque rien sur mon porte-bagages. On se quittait toujours au même carrefour, presque comme des voleurs. « Salut ! » « Salut ! » De retour à la maison, je me jetais sur mon lit sans même enlever mes grosses chaussures trempées d'eau de mer et j'attaquais le nouveau Signe de Piste qu'elle m'avait prêté.

– C'est bien ou pas ? me demandait Jean-A., en louchant vers mon livre par-dessus son *Salut les copains*.

– Bof, je répondais.

– C'est qui qui te l'a passé ?

– Personne.

– Tu lis des livres de filles, maintenant ?
– Quoi ?
– Y a un nom écrit sur la couverture, je te signale.
– Comme si j'allais croire un bigleux, je répondais en planquant le livre derrière mon oreiller. Pourquoi tu n'irais pas faire la manche avec tes pieds sales et ta guitare au lieu de jouer avec mes nerfs ?
– Vous allez la fermer, oui ? criait Jean-C. à travers la cloison.
– Vous voulez qu'on vienne vous mettre une raclée ? renchérissait Jean-D.
Je ne répondais même pas. À quoi ça aurait servi ?
Bof…

Le dîner de grands

Je ne recommande à personne d'avoir des frères. Surtout un aîné et quatre plus petits.

Si vous voulez savoir ce que c'est qu'une famille de six garçons, imaginez six fils uniques forcés de vivre ensemble sous le même toit. On voudrait tous avoir un endroit rien qu'à nous et, surtout en grandissant, personne pour fourrer son nez dans nos affaires. Même si papa et maman sont très organisés, on n'a jamais un moment pour parler avec eux seul à seul : leur dire quand ça ne va pas, quand on a le cafard, par exemple, ou qu'on voudrait disparaître dans un bathyscaphe plutôt que d'aller en devoir de maths.

Alors, pour compenser le fait qu'on est une famille nombreuse, papa et maman ont eu une super idée : une fois par mois, depuis qu'on habite à Toulon, ils invitent l'un d'entre nous au restaurant.

Sauf Jean-F., bien sûr, parce qu'il est trop petit et qu'ils n'ont aucune envie de passer leur soirée à le regarder tambouriner dans sa purée en faisant des imitations de winchester à chargeur automatique.

Papa et maman, qui ont des principes éducatifs, appellent ça « la soirée d'écoute individualisée ». Un petit moment de fête réservé à chacun et qui permet de faire le point.

Pour que ce soit vraiment réussi, on a le droit de choisir son restaurant. La dernière fois, c'était au tour de Jean-C. Comme il avait voulu aller au chinois et qu'il est nul pour manger avec des baguettes, papa et maman sont rentrés avec des grains de riz plein les cheveux et l'air de regretter amèrement leurs bonnes idées éducatives.

Les autres, pendant ce temps-là, restent seuls à la maison sous la responsabilité des aînés. On est archijaloux de celui qui sort, bien sûr, mais c'est quand même une bonne soirée : maman nous a préparé un apéritif dînatoire qu'on a le droit de manger devant la télévision, à condition naturellement d'être tous au lit à neuf heures pétantes.

– Promis juré ! assurent ceux qui restent.

– À moins, naturellement, précise papa, que certains d'entre vous n'aient choisi d'être invités prochainement à la cantine des enfants de troupe…

Sauf que, manque de pot, la veille du jour où c'était enfin mon tour, papa nous a convoqués au salon, Jean-A. et moi.

Visiblement, il avait préparé son coup avec maman. Peut-être même que l'idée venait d'elle.

– Mes Jean, il a dit, je crois qu'il est temps d'avoir un dîner de grands. Juste tous les trois. Tu n'y vois pas d'inconvénient, Jean-B. ?

– Et ma soirée d'écoute individualisée ? j'ai protesté. Les autres ont tous eu la leur ! Pourquoi je devrais la partager avec Jean-A. ?

Ce dernier n'avait pas l'air ravi non plus de la proposition de papa.

– Eh bien, ce sera une soirée d'écoute individualisée en groupe, voilà tout, a expliqué papa. Il y a longtemps que nous ne nous sommes pas retrouvés entre hommes pour un moment de franche et saine camaraderie.

– Et on mangera où ? a demandé Jean-A.

– C'est une surprise, a dit papa.

J'avais beau être ultradéçu de m'être fait voler ma soirée d'écoute individualisée, on n'était pas peu fiers, ce soir-là, quand on a sauté dans la 2CV avec papa.

Les moyens et les petits, en pyjama sous le porche, nous ont regardés partir avec envie comme si on décollait pour la Lune.

– Inutile de nous attendre, a lancé papa en agitant la main par la vitre de la portière. On risque de se bourrer toute la nuit d'énormes pizzas croustillantes en sirotant des sodas ! Pas vrai, les gars ?

– Et comment ! on a gloussé.

– Je te rappelle que les grands *aussi* ont classe demain, a fait remarquer maman qui ne perd jamais le sens des réalités.

– Bah, a fait papa. Ce n'est pas tous les jours qu'on se tape la cloche entre hommes. Pas vrai, les gars ?

– Et comment ! on a répété pendant que papa démarrait sur les chapeaux de roue.

Il avait bien choisi son endroit. On adore les pizzas, Jean-A. et moi, et on a commandé tous les trois les super géantes à l'huile piquante que maman ne veut jamais qu'on prenne, de peur qu'on se détraque l'estomac et qu'on en laisse dans notre assiette.

– Vous êtes sûrs que vous ne préférez pas une petite salade verte et des brocolis nature ? a plaisanté papa quand elles sont arrivées.

– Beurk ! on a fait.

– Vous avez bien raison, mes Jean, a dit papa en attaquant sa pizza. À votre âge, on a besoin de nourriture solide.

Papa est très fort comme médecin, alors on en a profité pour commander, en plus, une portion de frites chacun. On était au bord de l'explosion à la fin, mais on a quand même pris une glace, histoire d'en profiter à fond.

Quand on en est arrivés au dessert, papa a pris une profonde inspiration. Il s'est essuyé trois fois la bouche et a toussoté.

– Les enfants…

Jusque-là, on avait parlé de tout et de rien. Mais on aurait bien dû se douter que papa ne nous avait pas proposé ce dîner de grands juste pour qu'on se fasse éclater l'estomac en commentant les résultats de football.

Il a retoussoté avant de poursuivre :

– Vous voilà tous les deux entrés… eh bien… dans une période nouvelle de la vie. Votre maman et moi avons pensé que je pourrais… eh bien, en tant que papa et que médecin, répondre à… enfin, aux questions que vous vous posez sans doute.

On s'est regardés avec Jean-A.

– Des questions ? Mais sur quoi ?

– Eh bien, sur l'adolescence, a expliqué papa.

C'est un âge difficile, où l'on s'interroge souvent sur... euh... le sens de la vie et sur les sentiments que l'on... enfin, que l'on commence à éprouver pour les... euh... personnes du sexe opposé...

– Les quoi ?

Jean-A. m'a donné un coup de coude.

– Papa veut dire les filles, banane.

– Ah.

Ça a jeté comme un froid.

– Dans une famille de garçons, a continué papa, de plus en plus mal à l'aise, il n'y a pas de... euh... jeunes filles, par définition, n'est-ce pas ? Alors, c'est un sujet qui peut légitimement... eh bien, vous préoccuper...

Il avait l'air tellement gêné que je me suis fouillé désespérément la cervelle pour trouver une question à lui poser.

– Est-ce que...

– Oui ? m'a encouragé papa.

– Non, rien.

Il s'est tourné vers Jean-A.

– Toi qui es l'aîné, est-ce qu'il y a des choses qui te... euh... tracassent et dont tu voudrais qu'on parle ? Après tout, tu es dans un lycée mixte et...

Jean-A. a fait une moue méprisante.

– Tu sais, moi, à part le latin...

Papa a hoché gravement la tête.

– Autre chose, mes grands ?
– Non, on a fait.
Papa a poussé un grand soupir de soulagement.
– Eh bien, je suis vraiment ravi que nous ayons eu entre hommes cette conversation franche et sans tabou, il a dit. Nous pourrons recommencer quand vous voudrez. D'accord, mes Jean ?
– Et comment ! on a répondu.
Papa était tellement content de s'en tirer à si bon compte qu'il a laissé un énorme pourboire au garçon.
À peine sorti du restaurant, il a allumé sa pipe. Dans la 2CV, il chantonnait « pom pom pom ! » et s'amusait à faire crisser les pneus comme s'il venait d'échapper par miracle à un tremblement de terre de magnitude 12.
– Bonne soirée ? a demandé maman quand on est rentrés.
– Excellente ! a dit papa. Pas vrai, les gars ?
– Et comment !
– Un vrai dîner entre hommes, a développé papa avec enthousiasme. Sans petits, sans moyens et sans...
– Sans qui, chéri ? a fait maman en dressant un sourcil interrogateur.
– Euh... sans tabou, chérie, s'est rattrapé papa.
– Ah bon, a fait maman. Et si les hommes allaient

se coucher dare-dare, maintenant ? Ils ont classe à huit heures, demain.

On peut toujours compter sur elle pour ne pas perdre le nord. Mais c'était un peu normal aussi qu'elle soit pressée d'aller au lit : c'est elle qui s'était tapé les petits et les moyens pendant qu'on rigolait comme des bossus en se gavant de pizzas croustillantes et de chocolats liégeois.

– Bonne nuit ! on a lancé en décampant sans demander notre reste.

– *Damned !* a pesté Jean-A. quand on a été dans la chambre. Papa était de super bonne humeur. On aurait dû en profiter pour réclamer une rallonge d'argent de poche.

– T'as raison, j'ai pesté à mon tour. Une belle occasion manquée !

L'anniversaire de Jean-A.

Depuis quelque temps, papa et maman n'arrêtent pas d'emprunter des livres à la bibliothèque municipale. *Adolescents : comment les comprendre... Le Conflit des générations... Ces jeunes qui nous font peur...*

Ils les potassent au salon, le soir, en se lisant des passages à haute voix et, à la façon dont ils prennent des notes, on dirait qu'ils étudient une espèce rare et dangereuse dont l'arrivée inévitable menace la vie sur Terre.

Heureusement, notre dîner de grands a beaucoup rassuré papa.

– Tu vois, chérie, on se fait une montagne de l'adolescence de ses enfants. Mais au fond, ce n'est pas si compliqué.

– Il suffit d'un peu d'organisation…

– Et de maintenir un dialogue franc et ouvert avec nos jeunes. Nous nous en tirons très bien, tu ne trouves pas ?

– Si si, a dit maman avec fierté. Tous ces livres, finalement, font beaucoup d'histoires pour rien.

Ce qui a fait toute une histoire, par contre, c'est l'anniversaire de Jean-A.

– Mes copains ont tous des parents hyper compréhensifs, il a dit. Pourquoi je serais le seul garçon de ma génération à ne pas pouvoir organiser une boum pour mon anniversaire ?

– Une quoi ? a demandé papa.

– Un après-midi dansant, a traduit maman.

– Un après-midi dansant ? À la maison ?

– J'ai bien peur que oui, a confirmé maman.

Ils se sont regardés tous les deux comme s'ils venaient de découvrir un colis piégé au milieu du salon.

– Et qui comptes-tu inviter à cette… euh… boum ? a finalement demandé maman.

– Des gens de la classe, a expliqué Jean-A. en rougissant jusqu'aux oreilles.

– Il veut dire des garçons *et* des filles, a traduit papa.

– Des filles ? a répété maman. À la maison ? Mais pour quoi faire ?

Visiblement, elle n'avait jamais imaginé que ça puisse arriver un jour.

– Je crains que des cavalières ne soient indispensables dans un après-midi dansant, a observé papa.

Ils ont dû se replonger dans leurs livres avant de donner une réponse parce qu'on n'en a plus entendu parler durant quelques jours.

– S'ils disent non, je commence une grève de la faim illimitée, a menacé Jean-A.

Quand la réponse est tombée, j'ai cru qu'il allait exploser de joie.

– Autorisation exceptionnelle accordée, a résumé papa à contrecœur. Il ne sera pas dit que nous serons les seuls parents rétrogrades du monde civilisé. Mais pas question que les petits et les moyens assistent à cette… euh… petite sauterie. Elle aura lieu dans ta chambre, et je me réserve le droit d'y passer la tête de temps en temps pour contrôler le bon déroulement des… euh… festivités.

– Merci, papa, merci, maman ! s'est écrié Jean-A. en leur sautant dans les bras. Vous êtes vraiment les vieux les plus cool de…

– Pardon ? a fait papa.

– … les deux plus chou de tous les parents !

– J'aime mieux ça, a dit papa. Et comme c'est aussi la chambre de Jean-B., je compte sur toi pour l'intégrer à votre petit groupe. C'est bien entendu ?

– Si tu crois qu'un scout marin va me gâcher ma boum, a prévenu Jean-A. quand on s'est retrouvés tous les deux, tu peux toujours te brosser.

– Ordre de papa, j'ai dit. Tu préfères que je sois au milieu de tes copines, en pyjama, à vous regarder vous trémousser comme des malades ?

Il est devenu vert de rage.

– C'est *mon* anniversaire !

– C'est aussi *ma* chambre !

– D'accord, a fait Jean-A. avec un soupir exaspéré. Tu peux venir mais comme larbin : seulement pour t'occuper du buffet.

– Tu me prends pour une banane ? J'invite des copains ou rien.

– D'accord, il a dit. Juste un, alors. Et pas question que ce minus et toi dansiez avec une seule de mes copines.

– Aucun risque. Je danse pas avec les asperges.

– Tu ne sais même pas ce que c'est qu'un slow ! a ricané Jean-A.

– Bien sûr que si. C'est quand on tient une fille dans ses bras et qu'on marche sur place comme des robots.

– N'importe quoi, il a dit.

– Je t'ai vu t'entraîner en cachette avec un balai, j'ai ricané.

– Moi ? Répète un peu pour voir !

Le grand jour est arrivé très vite.

On avait débarrassé la chambre pour faire une piste de danse et Jean-A. l'avait décorée avec des posters de ses groupes favoris. À la place des lits et du bureau, on avait disposé le long des murs tous les sièges qu'on avait pu trouver dans la maison. Avec les petites lampes recouvertes de foulards indiens, ça faisait une ambiance du tonnerre.

– Tu as vraiment besoin de fermer les rideaux ? avait demandé maman en contemplant avec effroi sa maison sinistrée. Vous n'allez pas passer l'après-midi dans le noir alors qu'il fait si beau !

Jean-A. avait levé les yeux au ciel.

– C'est une boum de jeunes, maman. Personne ne danse en plein soleil de nos jours !

Elle avait quand même obtenu qu'on installe le buffet dans le jardin. Il y avait de la citronnade, des jus de fruits bourrés de vitamines, des bols de friandises joliment présentés sur une nappe en papier crépon.

Mais le clou du goûter, c'était l'énorme gâteau d'anniversaire qu'elle avait préparé la veille : il prenait une étagère entière dans le réfrigérateur, avec « BON ANNIVERSAIRE JEAN-A. » en lettres de nougatine écrit sur le glaçage.

Il fallait au moins ça parce que, à part une petite poignée de copains, Jean-A. avait invité à sa boum *toutes* les filles de son cours de latin.

On aurait dit que maman n'en avait jamais vu de toute sa vie. Il faut dire qu'elles étaient déjà surexcitées alors que la boum n'avait pas commencé. Maman et papa se tenaient sur le seuil pour les accueillir, mais comme il y avait une pancarte « C'est par là » accrochée à la porte, la plupart filaient droit à la chambre en leur adressant tout juste un « Salut ! » inaudible.

– Bah, a observé papa en tirant flegmatiquement sur sa pipe. Ne nous formalisons pas pour si peu. Nous sommes des parents dans le coup, n'est-ce pas, chérie ?

– Est-ce que Jean-A. n'avait pas dit qu'il invitait des filles ? s'est étonnée maman en battant des paupières.

– Si, chérie. Pourquoi ?

– Ce ne sont pas des filles : ce sont des *jeunes filles* ! Certaines ont même des talons hauts !

– Bah, a répondu papa. Il faut croire que nous n'avons pas vu notre Jean-A. grandir, voilà tout.

Les petits et les moyens avaient été consignés

dans leurs chambres, avec interdiction absolue d'en sortir sous peine d'être expédiés séance tenante aux enfants de troupe. Agglutinés à la fenêtre, les yeux écarquillés, on aurait dit qu'ils assistaient à l'arrivée du Tour de France.

Dans la chambre, déjà, l'ambiance battait son plein.

Jean-A. avait demandé à chacun d'apporter des disques, et tout le monde se disputait pour passer le sien sur l'électrophone que nous avait prêté papa.

– Attention ! répétait Jean-A. Le bras est hyper fragile !

De toute façon, personne ne dansait. Les filles s'étaient regroupées dans un coin et gloussaient entre elles pendant que les garçons se lançaient à la figure les pochettes de 45 tours en ricanant comme des bossus.

– Tu écoutes vraiment Ricky Storm ? Ça ne m'étonne plus que tu aies des poussées d'acné, mon p'tit vieux.

– Je rêve ! Qui a apporté le dernier Michelangelo and the Monkeys ? Y a plus personne qui danse là-dessus depuis au moins trois siècles !

Avec la lumière d'ambiance, les copains de Jean-A. paraissaient tous un peu bizarres. Il y avait un tout petit, un immense tout maigre avec une coiffure de hérisson et le troisième était encore plus binoclard que Jean-A.

– C'est pas mes copains, il m'a avoué après. Règle n° 1 quand tu organises une boum chez toi : invite les garçons les plus moches du lycée, comme ça les filles ne veulent danser qu'avec toi.

C'était hyper bien joué. Il faudrait que je m'en souvienne quand viendrait mon anniversaire.

– Qu'est-ce que tu en penses ? m'a demandé Jean-A.

J'ai dû le faire répéter parce que quelqu'un avait monté l'électrophone à fond.

– Des filles de ma classe ! il m'a hurlé dans l'oreille. Pas mal, non, pour des latinistes ?

Comme il faisait noir, on les voyait mal. Surtout que c'était le premier slow de la boum et qu'elles s'étaient toutes trouvé quelque chose d'archi-important à faire pour échapper aux faux copains moches de Jean-A.

– Tu danses pas ? j'ai hurlé à mon tour.

– Tu m'as regardé ?

– Ça sert à quoi d'avoir organisé une boum, alors ?

Il portait le pantalon en daim à franges de Davy Crockett et une chemise violette aussi étroite qu'une combinaison de plongée. Il a soupiré.

– Impossible d'avoir une fille à ton anniversaire sans ça. Mais tu vas voir : après mon récital pop, tout à l'heure, elles se battront pour danser avec moi.

– Je croyais que t'aimais pas ça.

– J'aime pas *inviter* à danser, nuance. Tu comprendras quand tu seras grand.

– Ça va, les jeunes ? a lancé papa en passant la tête par la porte. Pas encore de pieds écrasés ni de morts par asphyxie ?

La musique était si forte que personne ne l'a entendu.

– C'était qui ? m'a demandé une fille.

– Mon père, j'ai répondu.

– Il a l'air trop sympa. T'as vraiment de la chance. Le mien est aussi sévère que mon dico français-latin.

Est-ce que c'était Véronique ? Ou Marie-Pierre, ou Isabelle, les soi-disant anciennes de Jean-A. ?

Il faisait au moins quarante degrés dans la chambre, tout le monde était en nage. Quand les filles se sont lancées dans un jerk endiablé sur Michelangelo and the Monkeys, j'ai réalisé que je n'aurais jamais dû inviter Hélène à l'anniversaire de Jean-A.

Depuis François Archampaut, je n'ai plus de meilleur copain. À part Grandrégis, bien sûr, l'ancien meilleur copain de Jean-A., mais je ne le voyais pas venir jerker à la boum du type qui avait criblé les mollets de sa sœur avec une carabine à patate.

Ça m'était venu comme ça, juste parce que l'anniversaire tombait un samedi et que j'allais rater les scouts marins.

– Samedi qui vient ? Chez toi ? elle avait dit.

– C'est l'anniversaire de mon grand frère, j'avais expliqué d'un air détaché, comme si c'était hyper naturel dans ma famille d'inviter une fille à la maison. Il est dans un lycée mixte, j'avais ajouté, alors il y aura plein de monde et de la musique à fond.

Elle avait eu une grimace d'hésitation.

– J'essaierai de venir. Je ne te promets rien.

Hélène habite de l'autre côté de Toulon, sur la presqu'île, dans une maison avec un grand jardin qui donne sur la mer. Je l'y avais raccompagnée, une fois, et il m'avait fallu près d'une heure à vélo, en pédalant comme un perdu, pour rentrer à la maison avant l'heure du dîner.

Le jour de l'anniversaire de Jean-A., j'avais guetté un long moment au portail en espérant la voir arriver. Puis j'avais rejoint les autres. Je surveillais ma montre, sursautant chaque fois que la porte s'ouvrait. Mais ce n'était que papa qui inspectait la petite sauterie, comme il l'avait promis, ou les moyens évadés de leur chambre qui essayaient d'entrer avant de détaler à toutes jambes pour ne pas se faire prendre.

À mesure que l'après-midi passait, je m'étais fait

une raison. Hélène n'avait peut-être pas eu envie de venir, finalement. Ou elle n'avait trouvé personne pour l'amener chez nous. J'étais déçu, bien sûr, mais je n'étais pas certain finalement qu'elle aurait été à sa place au milieu des copines de latin de Jean-A.

– Tiens, un rescapé, a lancé papa comme je sortais de la chambre, à moitié ébloui de retrouver la lumière du jour. Tu tombes bien, Jean-B., ton invitée vient d'arriver.

Mon cœur a failli s'arrêter.

Hélène était assise sur une chaise de jardin, un verre de citronnade à la main, en pleine discussion avec maman.

Est-ce qu'elle était là depuis longtemps ? Quand elle m'a vu, elle s'est levée d'un bond.

– Ta charmante amie nous racontait vos exploits aux scouts marins, a poursuivi papa. J'ignorais qu'on y acceptait les jeannettes.

– C'est la seule, chéri, a dit maman.

– À mon époque... a commencé papa.

– Si tu les laissais plutôt rejoindre la fête ? a proposé maman. Cette jeune fille est trop bien élevée pour que tu abuses de sa gentillesse.

Je devais être écarlate. Je n'avais parlé à personne de mon invitation, comptant qu'Hélène passerait incognito au milieu des copines de Jean-A. Pourquoi est-ce que je ne l'avais pas attendue plus longtemps au portail ? Maintenant, c'était trop tard : papa et maman savaient que je connaissais une fille et pourquoi je ne râlais plus comme un putois pour me rendre aux scouts marins.

Comme elle attendait debout, sans rien dire, son petit sac en toile à la main :

– Elle vient pas pour l'anniversaire, j'ai bégayé. On doit réviser nos… euh… des trucs de voile… dans la colline.

– Dans la colline ? a répété papa. Drôle d'idée. À mon époque, aux scouts marins, on faisait plutôt de la voile sur l'eau.

Mais déjà j'avais filé avec Hélène.

– N'oubliez pas de revenir pour le gâteau ! nous a crié maman, toujours pratique.

Monsieur le mé-mé...

La colline, c'est un immense terrain derrière la villa, auquel on accède par un trou du grillage.

Il y a des restanques qu'on peut dévaler à fond de train, des buissons où construire des cabanes, des amandiers si serrés par endroits qu'on peut passer de branche en branche sans jamais mettre pied à terre.

C'est notre terrain de jeux préféré, à nous les Jean. Au début, on a dû s'y faire une place à coups de lance-pierres et de figues pourries, mais depuis qu'on a signé la paix avec les Castors, il y a bien assez de place pour nous tous dans la colline.

J'ai montré à Hélène les restes de la cabane qu'on avait construite avec Jean-A., nos coins favoris pour se planquer des Castors ou faire des réunions secrètes. Je lui ai montré aussi le pont de singe qu'on avait installé entre deux arbres, pour passer au-dessus d'un rang de fils barbelés sans se faire déchirer les mollets.

– Je peux monter ? elle a demandé.

– Bien sûr. Attends, je vais t'aider.

En fait, elle grimpait aux arbres aussi bien que moi. Elle portait des chaussures plates, un pantalon de toile claire et un chemisier sans manches. On s'est amusés à traverser dans un sens puis dans l'autre, en s'imaginant qu'on était des explorateurs franchissant un précipice vertigineux sur une passerelle de lianes, ou des pirates prenant un navire à l'abordage.

Après, on a ramassé des amandes encore vertes qu'on a décortiquées, assis sur des pierres couvertes de mousse. On était loin de la villa, mais on entendait distinctement la musique de la boum.

Heureusement que notre voisine, Mme Schwartzenbaum, est sourde comme un pot. Sinon, elle aurait passé un sale après-midi.

– Tu aurais peut-être préféré danser avec les autres, j'ai dit.

Elle a secoué la tête.

– J'aime mieux être dehors.

– Ça tombe bien, j'ai fait. Moi aussi.

Elle a croqué dans une amande. Elle devait être encore acide parce qu'elle a fait une grimace avant de demander :

– Tu me feras lire une des histoires que tu écris, un jour ?

Sa question m'a surpris. Brusquement, j'ai réalisé qu'il y avait bien longtemps que je n'en avais pas commencé une.

– Je ne les ai jamais montrées à personne, j'ai dit. Tu ne te ficheras pas de moi si c'est nul ?

– Bien sûr que non.

– Alors, d'accord.

J'ai montré la direction de la maison abandonnée.

– Tu veux voir l'endroit où j'ai trouvé Diabolo ?

– Tu parles ! elle a dit.

On est revenus en courant juste au moment où maman apportait au jardin le gâteau d'anniversaire de Jean-A.

Ses copains et ses copines, très rouges, étaient rassemblés autour du buffet et se jetaient sur les boissons.

– C'était bien, le dzerk ? a demandé Jean-E. à une fille qui le regardait comme si elle avait rencontré son premier extraterrestre.

– Le quoi ?

– Jean-E. a un cheveu sur la langue, a expliqué Jean-C.

Les petits et les moyens avaient été libérés pour le goûter, avec interdiction formelle d'embêter les invités de Jean-A. sous peine de repartir illico dans leurs chambres.

Jean-F., coiffé d'un casque de panoplie, courait de l'un à l'autre, un glaive en plastique à la main, en criant : « *Ave Caesar, morituri te salutant !* »

Jean-D., de son côté, essayait de rallumer les bougies du gâteau qui s'éteignaient une à une à cause de la brise. Comme il est nul de ses dix doigts, le glaçage a été bientôt recouvert de tellement

Monsieur le mé-mé...

d'allumettes et de coulées de cire que le message en lettres de nougatine était devenu « BN AVRE J-A. ».

Quant à Jean-C., il ne faisait rien. Il regardait juste les filles, bouche ouverte, comme s'il était sur le point de commencer une crise de croissance carabinée.

– C'est tes frères ? m'a demandé Hélène.

– Oui, j'ai dit.

– Ils sont chou tous les cinq.

– Tu trouves ? Tu ne les as pas bien regardés, alors.

Elle a soupiré.

– Essaye un peu les sœurs et tu verras...

– Si nous coupions plutôt ce délicieux gâteau ? a proposé papa en brandissant la pelle à tarte.

– Quelle bonne idée, a dit maman qui avait hâte, elle aussi, que la fête se termine.

La pelouse était couverte de pop-corn, de serpentins et de papiers déchirés.

– T'as été gâté ? j'ai demandé à Jean-A.

J'avais manqué le moment où il ouvrait les cadeaux de ses copains.

– Génial, il a dit. J'ai eu le dernier tube de Michelangelo and the Monkeys en six exemplaires.

– Zut alors, j'ai dit.

– Au contraire ! Comme ça, je pourrai l'échanger contre le prochain Ricky Storm quand il sortira.

Du menton, il a montré Hélène qui aidait Jean-F. à remettre d'aplomb son casque de gladiateur.

– C'est qui, la petite, là-bas ? il a demandé tout bas pour qu'elle ne l'entende pas.

– Une copine d'une de tes copines, j'ai fait sur le même ton.

– Zut alors, il a dit. Dommage que la boum soit finie !

– T'aurais eu aucune chance, j'ai ricané. Elle danse pas avec les binoclards.

Jean-A. n'a pas eu le temps de répondre parce qu'on l'appelait pour souffler les bougies. Après le carnage de Jean-D., il n'y en avait plus qu'une seule d'allumée, mais les filles l'ont quand même applaudi à tout rompre comme s'il venait d'éteindre d'un seul coup un volcan en éruption.

– Il apprend le latin, ton petit frère ? m'a demandé Hélène quand elle m'a rejoint.

– Jean-F. ? Non. Pourquoi ?

– Il m'a dit un drôle de truc sur Jules César...

– Laisse tomber, j'ai dit. Tu veux du gâteau ?

Même s'il est très fort en bricolage, ça n'avait pas été une mince affaire pour papa de couper des parts égales vu qu'on était dix-sept avec les invités de Jean-A.

Jean-E. faisait le service, distribuant les assiettes à mesure. Mais aucune des invitées n'avait faim

Monsieur le mé-mé...

tellement elles s'étaient bourrées de friandises durant la boum.

Forcément, maman n'a pas très bien pris que des filles remettent en cause ses talents de pâtissière.

Mais là où ça a dégénéré, c'est quand elles se sont toutes mises à crier et à trépigner sur place en découvrant ce qui leur frôlait les jambes.

Jean-C. avait sorti Batman de sa cage et son chinchilla faisait des sprints sur la pelouse, tout excité par les serpentins et les miettes de pop-corn.

– Un rat ! a crié l'une des filles.

– Un RAT ? ont répété les autres en lâchant leur assiette.

– C'est pas z'un rat, c'est un cincilla ! a tenté d'expliquer Jean-E.

Mais personne ne l'écoutait. Les filles couraient dans tous les sens en hurlant, poursuivies par Batman qui ne savait où donner de la tête. Les faux copains moches de Jean-A., peut-être parce qu'aucune n'avait voulu danser le slow avec eux, ricanaient comme des bossus en les montrant du doigt, le tout sous le regard effaré de papa et maman, leur assiette à la main, qui tentaient de ramener le calme.

La panique était à son comble quand une voix inconnue a lancé depuis le portail :

– Bonsoir ! Est-ce bien ici que...

Papa s'est retourné d'une pièce.

– Que QUOI ? il a tonné. Vous ne voyez sans doute pas qu'on est occupés ?

Il a blêmi brusquement en découvrant le visiteur.

– M... monsieur le mé... Monsieur le médecin-chef ?

L'autre a eu l'air presque aussi surpris que papa.

– Tiens donc ! Quelle coïncidence !

C'était un homme de taille moyenne, moustache et cheveux en brosse, avec l'air d'avoir commandé toute sa vie des légions de centurions romains.

– Mes respects, mon... onsieur le médecin-chef, a

bredouillé papa en claquant des talons comme pour se mettre au garde-à-vous. Entrez, entrez ! Pour une bonne surprise, c'est une bonne surprise !

– Désolé de vous déranger en pleines... euh... réjouissances familiales. Je viens juste chercher ma fille.

– Votre fille, monsieur le mé-mé-chef ? a bégayé papa en cherchant parmi les copines de Jean-A.

– Bonsoir, papa, a dit alors Hélène qui, entre-temps, avait réussi à attraper Batman et le caressait entre les oreilles pour le calmer.

J'ai eu l'impression que la terre s'ouvrait sous mes pieds.

Hélène ? La fille du médecin-chef de papa ?

– Tu t'es bien amusée, ma chérie ? a fait ce dernier en contemplant avec intérêt la pelouse saccagée, les filles écarlates et Jean-A. en pantalon à franges et chemise violette, la guitare en bandoulière.

– C'était super, elle a dit, avant de rendre Batman à Jean-C. Il est vraiment trop chou, ton chinchilla.

Papa, des confettis pleins les cheveux, semblait anéanti.

– Vous resterez bien prendre quelque chose avec nous, est intervenue maman. De la citronnade tiède, un jus de fruits vitaminé ?

– Rien, merci, vous êtes très aimable, a dit le père d'Hélène.

Puis, se tournant vers papa :

– Nous nous voyons lundi à l'hôpital, n'est-ce pas ?

– Affirmatif, monsieur le mé-mé ! a bégayé papa.

Juste avant de passer le portail, Hélène m'a adressé un petit signe de la main qui voulait dire : « Désolée de partir si vite… On se voit samedi aux scouts marins ? »

Puis elle a sauté dans la voiture de son père et ils ont disparu.

– C'est vraiment la cerise sur le gâteau ! a marmonné papa.

Il était effondré dans une chaise longue, sa pipe éteinte à la bouche. Les invités de Jean-A. étaient partis, on avait mis un peu d'ordre dans le jardin mais on aurait dit qu'il était le dernier survivant d'une catastrophe nucléaire.

– Ça veut dire quoi, la cerise sur le gâteau ? a demandé Jean-D.

– Eh bien, a commencé maman qui ne rate jamais

une occasion d'enrichir notre vocabulaire, c'est une expression imagée qui signifie...

– ... La goutte d'eau qui fait déborder le vase, l'a coupée papa.

– Est-ce que tu n'exagères pas un peu, chéri ?

– Moi, *j'exagère* ? Je te rappelle, chérie, que nous avons six garçons aux oreilles décollées, un chinchilla parfaitement intenable et ta mère qui appelle toutes les semaines pour s'assurer que nos enfants consomment assez de produits laitiers... Comme si ça ne suffisait pas, nos aînés entrent en trombe dans l'adolescence, notre petit dernier connaît par cœur *tous* les génériques de séries télévisées et mon médecin-chef prend notre maison pour un lieu de perdition ! Et tu dis que j'exagère ?

– C'est aussi une magnifique soirée de printemps, a corrigé maman, c'est l'anniversaire de Jean-A., et je te trouve enfin particulièrement injuste avec ma mère.

– C'est vrai, s'est excusé papa. Mais que va penser de nous mon médecin-chef ?

– Il doit t'envier de n'avoir que des garçons, a remarqué maman. Pense que nous pourrions avoir six filles !

Papa a réprimé un frisson.

– Tu as raison, il a dit. Mais à la vitesse où nos Jean font leur poussée de croissance, nous n'allons pas tarder à voir rappliquer à la maison toute la gent féminine de la région !

– Aïe aïe aïe ! a murmuré maman en frissonnant à son tour. Je n'avais pas pensé à ça.

– Moi, ze vous zure, zamais ze danserai le dzerk avec des filles ! a zozoté Jean-E.

Ça n'a pas eu l'air de les rassurer vraiment.

– Et moi qui me vantais à l'hôpital d'avoir un fils scout marin, a gémi lugubrement papa. Grâce à sa jeannette de fille, mon médecin-chef va savoir que Jean-B. vomit même en pédalo !

J'ai failli protester, mais j'ai senti que ce n'était pas tout à fait le moment de la ramener. Les moyens restaient à distance prudente et Jean-A. avait préféré changer son pantalon pop et sa chemise violette pour les vêtements plus convenables que maman nous commande à La Famille Moderne.

– Bon, a dit maman qui n'est jamais à court de bonnes idées, si nous profitions plutôt de cette belle soirée de printemps pour offrir ses cadeaux à Jean-A. et pour finir ce délicieux gâteau d'anniversaire ?

– Chic ! on a crié tous en chœur. Les cadeaux ! Les cadeaux !

– D'accord, a dit papa avec un soupir. C'est toi qui as raison, chérie : c'est presque reposant, finalement, de se retrouver seulement tous les huit.

– Tous les neuf, a corrigé Jean-C. en montrant Batman, couché sur son épaule, qui se remettait lui aussi de ces émotions.

– Alors, un doigt de whisky et que la fête commence ! a lancé papa en s'extirpant avec effort de son transat. Après tout, ce n'est pas tous les jours que notre aîné a quatorze ans. Et puis flûte pour mon médecin-chef !

– Chéri ! l'a grondé maman avec indulgence.

– Quoi, chérie ? Nous n'avons tout de même pas de leçon éducative à recevoir de quelqu'un qui n'a eu que des filles, si ?

Ça a été une super fin d'anniversaire.

Maman a mis une nappe de crépon neuve sur la table du buffet et on a ressorti du réfrigérateur la citronnade, les jus de fruits et des glaçons pour le whisky de papa.

Quand tout le monde a été servi, il a levé son verre.

– À notre Jean-A. ! il a déclaré. Que cette année lui apporte tout ce qu'il désire : maturité, coupe de cheveux dégagée autour des oreilles et résultats brillants en latin !

– Est-ce que tu ne confonds pas nos désirs avec les siens, chéri ? a demandé maman.

Papa a ouvert des yeux ronds.

– Tu crois, chérie ? Alors, à notre Jean-A., tout simplement.

– À Jean-A. ! on a répété.

Puis ça a été le moment des cadeaux.

Jean-A. était assis sur une chaise de jardin, tout ému d'être le héros de la fête. On a couru dans nos chambres chercher nos paquets et on a défilé par ordre de taille en chantant à tue-tête *Happy birthday to you*.

Jean-F., qui n'a pas encore d'argent de poche, lui avait fait un dessin représentant la voiture de Satanas et Diabolo. Quant à Jean-E. et Jean-D., ils s'étaient mis ensemble pour lui racheter le cadre en coquillages qu'ils avaient cassé au cours de la dernière bataille de chaussettes sales.

– Merci, merci, répétait Jean-A. Vous n'auriez pas dû !

Jean-C., qui ne fait jamais rien comme tout le monde, avait trouvé un drôle de cadeau au magasin de musique.

– Une collection d'ongles arrachés ! s'est écrié Jean-A. en tournant et en retournant la petite boîte transparente entre ses doigts sans oser l'ouvrir. Merci, c'est trop beau !

– C'est pas des ongles, a expliqué Jean-C. C'est des bidules... enfin... des machins pour gratter les cordes de ta guitare.

– Des médiators ? s'est exclamé Jean-A. J'en rêvais ! Je peux vous jouer quelque chose tout de suite ?

– Tout à l'heure, avec plaisir, a toussoté papa. Tu n'ouvres pas d'abord le cadeau de Jean-B. ?

Je m'étais creusé la tête moi aussi pour lui offrir quelque chose d'original.

– Le dernier disque de Michelangelo and the Monkeys ! Merci, Jean-B. !

Mais le clou de la soirée, c'était le cadeau de papa et maman.

Un paquet si gros qu'ils avaient dû le cacher dans le garage et se mettre à deux pour l'apporter au jardin.

Jean-A. n'en croyait pas ses yeux.

– C'est pour moi ?

– Oui. Mais j'espère que toute la famille en profitera aussi.

– Une batterie ? s'est exclamé Jean-A. en coupant les rubans. C'est génial !

– Euh, pas exactement, a expliqué papa. D'après le marchand, ça s'appelle un baby-foot.

– Un quoi ? a répété Jean-A.

– C'est un mot emprunté à l'anglais, a commencé maman, qui veut dire littéralement...

Mais Jean-A., depuis son séjour linguistique, est très fort en langues vivantes. S'il était déçu que ce ne soit pas une batterie, ça ne s'est pas vu du tout.

– Wouah ! il a fait. Comment vous saviez que j'en rêvais ?

Papa et maman ne s'étaient pas moqués de lui. C'était au moins un baby-foot de compétition, avec une caisse en bois verni et des tiges chromées tellement silencieuses qu'on pourrait y jouer en cachette la nuit sans réveiller personne.

– Wouah ! a fait Jean-C. à son tour. T'as vu les joueurs ? On dirait des vrais.

– Peints à la main, a précisé papa. Et aux couleurs de tes équipes préférées, mon Jean-A.

– Allez les Verts ! Allez les Verts ! s'est mis à tonitruer Jean-F.

– Est-ce qu'on pourra tous y zouer ? a zozoté Jean-E.

– Bien sûr, a dit papa qui brûlait d'impatience de faire une partie. Si l'heureux récipiendaire n'y voit pas d'inconvénient, bien sûr…

– C'est qui, le récipient d'air ? a demandé Jean-C. qui ne comprend jamais rien.

– Récipiendaire, a commencé maman, est un mot un peu savant qui désigne celui qui reçoit un cadeau. Par exemple, un baby-foot de jardin d'un prix exorbitant.

– C'est moi, a résumé Jean-A. Mais je vous

OUI !!
AH OH AH!
NON

préviens, je prends pas de bananes dans mon équipe.

Ce qui est bien, avec le baby-foot, c'est qu'il y a huit rangs de joueurs, quatre de chaque côté. Alors, même maman s'y est mise. Pour que ce soit équilibré, papa a pris Jean-F. avec lui. Mais comme sa tête arrivait à peine à hauteur des poignées, il a fallu l'installer sur sa chaise haute et le regarder toute la soirée trépigner des jambes tout en faisant des roulettes avec son goal.

– On va vous massacrer, les gars, a ricané Jean-A. qui était avec maman, Jean-C. et moi.

– Vous entendez ça, les miens ? a ricané papa. Pas de quartier ! Tous derrière votre capitaine !

On a fait au moins dix-huit parties. Papa était déchaîné. Même s'il était très fort au baby-foot dans sa jeunesse, ça n'a pas suffi pour nous départager. Jean-A. avait beau accuser Jean-D. de tricher en marquant les points et Jean-F. de bloquer la balle avec la main, on terminait chaque fois sur un match nul.

Ce qui nous a fait tout drôle, c'est quand maman a dit, d'une toute petite voix :

– Les enfants, je crois que je viens de marquer le but de la victoire.

– Ça alors, a dit papa. J'ai bien peur que votre

maman n'ait raison : on vient d'être battus par une faible femme, les gars.

– Par une quoi ? a demandé maman.

– Hourra ! a crié notre équipe. Vive maman !

– C'est pas zuste, a zozoté Jean-E. Les équipes étaient dézéquilibrées. Zean-F. zoue comme une banane !

– Bah, a dit papa. Demain, on fera la revanche et tu verras ce qu'ils vont prendre.

De toute façon, il faisait trop nuit pour continuer. C'est à peine si on voyait encore la balle.

Alors maman a sorti les restes du gâteau d'anniversaire de Jean-A. Comme presque personne n'y avait touché, on a eu droit chacun à deux parts. Ça tombait bien parce que le baby-foot nous avait donné une faim de loup.

– Il n'est pas bon, mon gâteau ? a murmuré maman qui n'en revenait toujours pas que les invitées de Jean-A. aient pu bouder son goûter.

– Un vrai délice, chérie, l'a rassurée papa, avant de recracher discrètement dans sa paume un bout d'allumette calciné. Ces jeunes filles étaient trop excitées pour avoir faim, voilà tout.

Ça n'a pas eu l'air de convaincre maman complètement.

– Nos garçons se régalent en tout cas, il a ajouté. Ça a été une belle fête d'anniversaire, n'est-ce pas ?

– Exquise, a dit maman. Et une très bonne année, finalement.

Elle a réfléchi un instant avant d'ajouter :

– Tu crois qu'il nous faudra partager un jour ce genre de moments avec…

– Six belles-filles ? J'en ai bien peur, chérie, a assuré papa en allumant sa pipe. Mais pourquoi s'en inquiéter à l'avance ? Ce jour-là viendra bien assez tôt. Et puis, qui sait : peut-être que ce sera…

– … La cerise sur le gâteau ? a proposé maman.

– C'est l'expression que je cherchais.

– Ça veut dire quoi, la cerise sur le gâteau ? a demandé Jean-D. qui n'écoute jamais rien.

– Eh bien, a expliqué maman, c'est une sorte de supplément inattendu, une petite friandise qui s'ajoute à quelque chose de délicieux et qui le rend parfait. C'est ce que tu voulais dire, chéri ?

– Affirmatif, a dit papa.

– Moi, a promis Jean-D., je me marierai jamais.

– De toute façon, a remarqué Jean-C., avec tes oreilles décollées, tu trouveras jamais une fiancée.

– Ça n'a rien à voir, a rétorqué Jean-D. Regarde Jean-A. : il a les oreilles décollées lui aussi, des lunettes de bigleux et ça l'empêche pas d'en avoir plein, des fiancées.

– Moi ? s'est indigné Jean-A. J'ai des QUOI ?

– Des amoureuses. On t'a vu danser tout l'après-midi avec elles comme un malade.

– C'est ma faute, peut-être, si je suis dans un lycée mixte et qu'elles me courent toutes après ?

– T'avais qu'à pas inviter que des faux copains moches à ta boum, j'ai dit.

– Pauvres minus ! a ricané Jean-A. Vous avez de la chance que ce soit mon anniversaire, sinon ça aurait salement dégénéré.

– On se bat pas avec un récipient d'air, nous, a rétorqué Jean-C.

– Moi, quand ze serai grand, a zozoté Jean-E., ze me marierai avec Solanze Rouzoreilles.

– C'est qui, celle-là ? a demandé Jean-C.

– Sa maîtresse, a répondu Jean-A. en imitant deux dents de lapin avec ses doigts.

– Quand tu auras l'âge de te marier, elle aura au moins dix mille ans, ta maîtresse, a rigolé Jean-D.

– T'es zaloux parce que ta maîtresse à toi, elle a de la moustace, a zozoté Jean-E.

– Quoi ? s'est emporté Jean-D. Répète un peu pour voir !

Alors, forcément, ça a dégénéré.

– La cerise sur le gâteau, disais-tu, chérie ? a observé papa avec attendrissement tandis qu'on se chamaillait comme des chiffonniers en se poursuivant à travers le jardin.

– Ou la fin des haricots, peut-être, a suggéré maman avec un soupir. Qui sait ?

– Nous verrons bien, a conclu papa en la prenant dans ses bras. Mais finalement, je crois que nous avons bien fait de ne pas les expédier en pension tous les six aux enfants de troupe. Tu ne crois pas, chérie ?

Cette nuit-là, dans la chambre sens dessus dessous de notre villa de Toulon, j'ai pris mon cahier secret, une poignée de Carambar rescapés de la boum et ma lampe électrique.

Tout était silencieux dans la maison. Jean-A., sur le lit du haut, dormait comme un sonneur et l'air tiède du printemps entrait par le volet entrouvert.

Je me suis calé confortablement sur mon oreiller et j'ai commencé mon roman.

J'avais déjà l'histoire en tête : celle de cinq frères mongols, les sinistres Dzjan, qui s'enfuient dans une faille de l'espace-temps après avoir dérobé au gouvernement britannique un missile à tête nucléaire.

Seuls l'agent spécial John-B., alias 002, et sa fidèle copilote Léna peuvent les retrouver et les mettre hors d'état de nuire.

Ils se lancent à la poursuite des Dzjan à bord de

leur caravelle 16, un vaisseau de combat équipé d'un périscope et d'un système de contrôle de l'apesanteur, pour empêcher que la litière de leur chat se renverse chaque fois qu'ils font des loopings dans des pluies de météorites…

Je ne savais pas encore quelle serait la suite de mon histoire. Mais j'avais vraiment hâte de la faire lire à Hélène quand je l'aurais terminée.

Table des matières

L'auteur

Jean-Philippe Arrou-Vignod est né à Bordeaux. Il vit successivement à Cherbourg, Toulon et Antibes, avant de se fixer en région parisienne. Après des études à l'École normale supérieure et une agrégation de lettres, il enseigne le français au collège. Passionné de lecture depuis son plus jeune âge, il s'essaie très tôt à l'écriture et publie son premier roman à l'âge de vingt-six ans. Il est depuis l'auteur de nombreux romans, pour la jeunesse comme pour les adultes.

Du même auteur chez Gallimard Jeunesse

FOLIO CADET

L'Invité des CE2, n° 429

FOLIO JUNIOR

Agence Pertinax, Filatures en tout genre, n° 799
Bon anniversaire! n° 1176
Le Collège fantôme, n° 1108
Magnus Million et le dortoir des cauchemars, n° 1630

Histoires des Jean-Quelque-Chose

L'Omelette au sucre, n° 1007

Le Camembert volant, n° 1268

La Soupe de poissons rouges, n° 1438

Des vacances en chocolat, n° 1510

Enquête au collège

1 - *Le professeur a disparu*, n° 558

2- *Enquête au collège*, n° 633

3 - *P.P. Cul-Vert détective privé*, n° 701

4 - *Sur la piste de la salamandre*, n° 753

5 - *P.P. Cul-Vert et le mystère du Loch Ness*, n° 870

6 - *Le Club des inventeurs*, n° 1083

GRAND FORMAT LITTÉRATURE

Enquête au collège

7 - *Sa Majesté P.P. Ier*

Intégrale - I

Magnus Million et le dortoir des cauchemars

Une famille aux petits oignons

(Histoires des Jean-Quelque-Chose)

ÉCOUTEZ LIRE

Enquête au collège 2 - *Enquête au collège*

L'Omelette au sucre

ALBUMS

Louise Titi

Rita et Machin,

en collaboration avec Olivier Tallec

1 - *Rita et Machin*

2 - *Rita et Machin à l'école*

3 - *Le dimanche de Rita et Machin*

4 - *Rita et Machin à la plage*

5 - *Le Noël de Rita et Machin*

6 - *Le pique-nique de Rita et Machin*

7 - *Les courses de Rita et Machin*

8 - *L'invité de Rita et Machin*

9 - *Rita et Machin à la piscine*

10 - *La cachette de Rita et Machin*

11 - *Rita et Machin. La niche*

12 - *Rita et Machin. L'anniversaire*

13 - *Le baby-sitting de Rita et Machin*

14 - *Rita et Machin au zoo*

Hors série Rita et Machin

Rita et Machin à Paris

Les petites BD de Rita et Machin

Joyeux Noël, Rita et Machin

Je joue avec Rita et Machin

L'illustratrice

Dominique Corbasson est née en 1958 à Paris. Diplômée de l'École nationale supérieure des arts appliqués et des métiers de l'art, elle a été styliste avant de devenir illustratrice. Elle travaille également pour la presse et la mode.

Retrouve les autres
histoires des
Jean-Quelque-Chose...

L'omelette au sucre

Connaissez-vous l'omelette au sucre ? Rien de moins compliqué à préparer. Prenez une famille de cinq garçons. Ajoutez-y un bébé à naître, une tortue, un cochon d'Inde et une poignée de souris blanches. Mélangez bien le tout, sans oublier une mère très organisée, un père champion du bricolage et quelques copains d'école à l'imagination débordante. Saupoudrez d'une pincée de malice et d'émotion, et servez aussitôt. C'est prêt... À consommer sans modération !

Le camembert volant

Quand on a six frères et qu'on s'appelle Jean-A., Jean-B., Jean-C., Jean-D., Jean-E. et Jean-F., impossible de s'ennuyer un seul instant.
Au menu de cet été : un déménagement, des vacances chez papy Jean, un poisson nommé Suppositoire, une ribambelle de cousins aux oreilles décollées... sans oublier bien sûr un mystérieux camembert volant et des parents pas trop coulants. Décidément, ça déménage chez les Jean !

La soupe de poissons rouges

Septembre 1969, Jean-A., Jean-B, Jean-C., Jean-D., Jean-E., le bébé Jean-F. et leurs parents ont quitté Cherbourg. Les voilà à Toulon pour la rentrée des classes. Une nouvelle école et de nouveaux copains, des poissons rouges nommés Wellington et Zakouski, une voisine alsacienne dure d'oreille qui cuisine un peu trop, sans oublier la bande des Castors, voisins de la villa des Jean, qui entendent bien garder leur colline pour eux seuls... C'est un grand bouleversement dans la vie de Jean-B. Heureusement que son père sait tout faire de ses dix doigts et que sa mère est très organisée!

Des vacances en chocolat

Cet été, la famille des Jean-Quelque-Chose au grand complet part à l'Hôtel des Roches Rouges. Au programme, excursions à la mer avec le canoë et les chaussures en plastique qui donnent des ampoules, visites clandestines de l'hôtel à l'heure de la sieste, représentation exceptionnelle du grand cirque Pipolo, sans oublier le passage du Tour de France... Et surtout, quelques cartes postales bien senties aux cousins Fougasse !

Le papier de cet ouvrage est composé de fibres naturelles, renouvelables, recyclables et fabriquées à partir de bois provenant de forêts gérées durablement.

Mise en pages : Maryline Gatepaille

Loi n° 49-956 du 16 juillet 1949
sur les publications destinées à la jeunesse
ISBN : 978-2-07-065249-5
N° d'édition : 250357
Dépôt légal : mars 2013

Achevé d'imprimer sur Roto-Page
par l'imprimerie Grafica Veneta S.p.A.
Imprimé en Italie